脱構築の力

——来日講演と論文

ロドルフ・ガシェ
編訳 宮﨑裕助
訳 入江哲朗／串田純一／島田貴史／清水一浩

月曜社

The Force of Deconstruction
Essays and Lectures in Japan
Rodolphe Gasché

脱構築の力——来日講演と論文

目次

凡例

一、本書は、Rodolphe Gasché, *The Force of Deconstruction: Essays and Lectures in Japan* の日本語訳である。本書は日本語版独自編集による。本書の成立過程については、巻末の「訳者あとがき」を参照のこと。

二、諸符号の転記は原則として慣例にならう。すなわち、〝 〟は「 」に直し、（ ）、［ ］は原文通り（ただし引用文での中略記号として［…］を用いた）、単行本や雑誌などの題名には『 』、論文名や作品名には「 」を用いた。イタリックによる強調は原則として傍点を付したが、内容に応じて「 」で括った場合や転記しなかった場合もある。

三、亀甲括弧〔 〕は訳者による註記・補足、山括弧〈 〉は大文字で始まる語や成句、語句の意味上のまとまりを示す。ダブル・ハイフン「＝」は、欧文人名でのハイフンの転記のほか、多義語に対する複数の訳語を併記するために用いた。また、シングル・ハイフン「-」、ダッシュ「——」の使用はおおむね原文に沿うが、対応しない箇所もある。

四、ルビは原語の表示や理解の助けになるよう適宜カタカナを付した。これは必ずしも原語の発音を表示するものではない。

五、原註は［1］、［2］、［3］…、訳註は［一］、［二］、［三］…の要領で示す。

六、文中、日本語の既訳がある場合には可能なかぎり参照し、該当頁を割註や訳註で示すようにした。ただし訳出にあたっては原文、引用者（ガシェ）による翻訳、引用前後の文脈などを考慮して、訳者の判断によって適宜訳文を作成した。したがって既訳を参考にさせていただいたが、必ずしも既訳に従うものではないことをお断りする。

七、その他、各章の初出や異稿の書誌、共訳者の分担などについては「訳者あとがき」を参照のこと。

脱構築の力——来日講演と論文

はじめに

「脱構築」は初期の頃より、デリダの著作を非難する者からも支持する者からも、彼の思想の証印のようなものとみなされてきた。この用語は、現象学に占める歴史を完全に捨象されてしまうことで、虚無主義的《ニヒリスティック》な企てとしてであれ、これまでの全西洋思想のラディカルな彼岸を垣間見ることを約束する企てとしてであれ、デリダの知的な企図を識別するのに用いられてきた。だが、まずもって、デリダが脱構築という概念を自分自身の著作と直接に結びつけたことはなかった。デリダが「脱構築」というこの用語を、エドムント・フッサールの「アプバウ〔Abbau：解体〕」とマルティン・ハイデガーの「デストルクツィオン〔Destruktion：破壊〕」の訳語として採用したのは、西洋思想のあらゆる歴史的堆積物の下にあるいっそう深い形相的な層や、プラトン化を施す思想――すなわち形而上学的思考――によって全面に覆われたギリシアの根源的な始まりに遡行するという現象学の企てを指し示すためであった。この通称が表しているみずからの思想の誤解を払拭すべく、デリダが最終的には、哲学的・文学批評的・政治的言説等における自分自身の発明のためにこの用語を我がものにしたということ自体に疑いの余地はない。デリダがこの語を通じて「アプバウ」および「デストルクツィオン」としての現象学的な意味を最初に領有し直したさいの形態にあっては、「脱構築」は、形而上学的な二項対立（たとえば話し言葉《パロール》と書き言葉《エクリチュール》）を反転させること、続いて新たに特権化された用語（エクリチュール）を再解釈することの二重の挙措からなるものとされている。この場合の再解釈は、形而上学的体系から当の語を抜き取ってデリダが「原エクリチュール」と呼ぶものによって開かれた時間・空間にこれを書き込み直すというねらいで行なわれる。こうして形而上学的思考を完全に変形してしまうことへと調整された脱構築の新たな概念は、脱構築の現象学的概念がもともとはいっそう深く根本的かつ本質的な諸層ないし起源に注力していたという事態を回避してしまうものなのだが、こうした脱構築の再解釈はまた、ひとつの方法論的な操作として提示されることになる。かくして「脱構築」が哲学テクストを批判的に読解するための技術的手続きとして理解されるべきという想定を避けるべく、「脱構築」を新たに再定式化することが不可避となったのである。

デリダがくり返す「脱構築」概念の再解釈は、したがって、この概念がもついくつかの不可避の含意にかんして持続的な抵抗と批判的な警戒とを証示するものである。この抵抗は、たんに次のような類いの標語に抗して、すなわち、デリダの著作がどのように読まれるべきかをあらかじめ示唆することで、デリダの著作を通して思考する必要を読者から免除してしまうような標語に抗して行なわれるだけではない。それはとりわけ、当の規則がいったん決まってしまえば済んでしまう手続きと思考そのものとを安易に同一視することに抗して行なわれる。いっそう狭めて言うと、「脱構築」が一定数のステップによって進行するひとつの操作として提示されてきたのであってみれば、デリダがくり返し脱構築を再考することで文章上に跡づけているのは、機械的な手続き、要するに硬直した方法論と思考そのものとを同一視することに対するデリダの抵抗なのである。だが、そうしたことに対してなされてきたあらゆる留保と絶え間ない再解釈にもかかわらず、「脱構築」というレッテルは、今日にいたるまで、デリダの思想と同一視する概念としてとりわけ執拗に用いられつづけてきたというのが実状である。

さて、デリダがみずからの思想を特徴づけるのに使われてきたこの用語をくり返しかつ批判的に取り上げているからには、デリダの著作における「脱構築」についての考察と拡張は、それ自体の権利をそなえた主題内容とみなされうるし、結果として「脱構築」は、デリダの著作において作動している彼の思考そのものと取り違えられてはならない。少なくとも言いうるのは、デリダが定期的に関与する脱構築の批判的な再考において彼は脱構築を脱構築するだろうなどと論じるのは馬鹿げているということである。当の概念に批判的に立ち返るさいに含み込まれている種類の思考は、「脱構築」という通称が示唆するほど容易に定義しうるようなものではない。

本書の第I部をなしている三つの論考〔第1〜3章〕は、デリダの思想と「脱構築」とを同一視する誤り、しかし避けがたい誘惑を私なりに継続して検討することに務めてきた成果の一部である。それらは、一九七〇年代前半にデリダの思想を、アメリカ合衆国の文芸批評家による受容から切り離そうとした試みにはじまり、デリダ自身の言葉でいえば「つねに来たるべき哲学」〔1〕と称されうるようなものの観点からこの思想の遺産を規定せんとする近年の挑戦にまで及んでいる。ここで喚起しておきたいのは、一九六〇年代後半から七〇年代前半にデリダの思想が北米の文芸批評家たちに訴えた魅力は、原エクリチュールという名のもとに西洋思想に内在するロゴス中心主義を「脱構築する」という彼の『グラマトロジーについて』の試みから生じてきたという点である。生き生きとした言葉の特権化に対してデリダの投げかけた問いは、それ以前のデリダがフッサール現象学と行なっていた討議によってあらかじめ形成されていたものだが、デリダにおけるエクリチュールのテーマは、そうした初期の討議が自覚されないままに、主に文芸批評的な関心を指し示すものとして受け止められた。西洋の哲学思想がエクリチュールを排除してきたことにかんするこうしたデリダの関心はまた、文学研究のために哲学をないがしろにしてもよい企てを表すものと理解されてしまった。要するに「脱構築」は、当時「〔フレンチ・〕セオリー」やテクスト研究として知られたもののために哲学的探求を解体しようとする企図と同一視されるようになったのである。概してポール・ド・マンの影響のもと、文芸批評家たちは「脱構築」をテクスト（文学テクストであれ哲学テクストであれ）を批判的に読解する方法のひとつとして理解した。そのさい「批判的」が意味するのは、これらのテクストがそのエクリチュールに内在的な自己反照性と自己言及性ゆえに、どんな種類のものであれ真理要求の偽りを曝し出すということを示すことであった。「脱構築」のこうした誤解を述べようとする私の最初の試みが〔第2章〕「批評としての脱構築」であり、次に『鏡の裏箔——デリダと反省哲学』、そして「批判、超批評、脱構築について」[2]である。これらの著作のすべてにおいて私が論じているのは「脱構築」とは、どんなテクストにも無差別に適用できるような文芸批評の方法ではなく、テクストの自己反照性や自己言及性を論証するというよりも、反照作用の可能性と不可能性の条件として当の反照作用から逃れるものへの探究に存している、紛れもなく哲学的なアジェンダを伴ったアプローチなのだということである。二〇〇四年のデリダの死後に執筆した〔第3章〕「タイトルなしに」は、すでにデリダの思想の遺産にかかわっている論考である。「脱構築」というタイトルと同一視することでデリダの著作を指し示すということに対して本章で私が反対しているのは、デリダの思想がもつ思考としての性格を強調するためにほかならない。「脱構築」という用語につきまとうあらゆる誤解を考慮することにより、私は、未来にとってのデリダの著作の重要性を評定すべく、その思考の企てとそれがかかわっている「思考」概念特有の練り直しについて考察をめぐらせることが必要であると論じている。つまりその練り直しとは、思考というものをひとつのプログラムの方法論的な実行へと切り縮めるようないかなる還元に対しても仮借なく妥協なしに警戒を行き渡らせるということにほかならない。こうして「思考」に配慮することとは、デリダの著作に公正を期すことであるとともにデリダを現代的にしつづけるものを評価しようとすることであり、そのような配慮によってまた〔第1章〕「脱構築の力」は特徴づけられる。「力と意味作用」というデリダの最初期の論文のひとつ――この論考はいわばある「方法論的」側面を折り込んでいるが、のちのデリダの「脱構築」への参照をそれと言及することなく予期している――に立ち返ることで私が強調しているのは、デリダがテクストを読む仕方に含まれた特有の思考の挙措であり、それによって私は同時に、そうと名指される以前の「脱構築」の考え方を展開することができた。これは、ロゴス中心主義の解体の試みに通常結びつけられている「脱構築」よりも相当に広範でいっそう根本的なものである。「脱構築」が哲学的思考へのデリダの寄与に対するタイトルとして役立ちつづけるべきものであるとすれば、それは、生き生きしたパロールとエクリチュールとが階層秩序をなしている二項対立——それがロゴス中心主義としての形而上学とのデリダの討論の主題内容をもたらしているわけだが——から袂を分かたなくてはならないというだけではない。それだけでなく、当の「脱構築」が明るみに出しているのは、そうした二項対立の彼岸を目指してそれを解きほぐすことにより形而上学を転覆せんとする試みよりも、もろもろの階層秩序のたんなる転倒に還元しえない初期テクストの思想の複雑性なのである。「脱構築の力」において、私は、形而上学においてなされる介入を、概念関係の網の目ないし織物を弛めるという観点から特徴づけているが、それは「脱構築」の一定の理解が、ひとつの思考の仕方として有している複合的本性を指し示している。

本書のはじめの三つの論考〔第1〜3章〕は、脱構築とは何かについて専門的な見地から明確化することにかかわっているけれども、実際にそれらがともに尽力しているのは、デリダの著作において思考するとはどういうことなのかを浮き彫りにすることである。対照的に、第II部にまとめられている二つの論考〔第4、5章〕は、マルティン・ハイデガーとハンナ・アーレントの「思考」にかかわっている。判断との絡み合いを伴う「思考」についてのアーレントの理解も、来たるべき世界への配慮との相関関係を伴う「省察」(Besinnung)についてのハイデガーの理解も、デリダが考えていることとは区別されるのだとしても、思考の実践として彼らの考え方は、思考をめぐるデリダの考え方と無関係ではない。思考をめぐるハイデガーとアーレント各々の考察についての論考を本書に含める理由に論及する前に、「脱構築」がデリダの初期著作において、ハイデガー『存在と時間』のデストルクツィオン（解体）の概念を参照するものであることをあらためて喚起しておきたい。デストルクツィオン――すなわち〈存在〉の問いをひとつの時代を画するまでに覆い隠してきた形而上学を解体すること――のねらいは、〈存在〉の問いが初期ギリシアにおける西洋思想の起源で生じたように当の問いそのものを回復することである。アーレントもまた、彼女自身ハイデガーのデストルクツィオンのある種の形態に負っていることを認めている。アーレントは、〈存在〉の思想の名においてよりも政治的なものをめぐる初期ギリシアの思想を取り戻すためとはいえ、「形而上学および哲学をそのあらゆるカテゴリーともに解体する」ことにつねに関与しつづけてきたとみずから述べていた〔3〕。二人の思索者はいずれも、デリダと同様、西洋思想の伝統のデストルクツィオンないし脱構築との関連で、思考によってみずからが理解する当のものを定めている。しかし、だからといって――〔第5章〕「〈なおも来たるべきもの〉を見張ること」が扱っている後期ハイデガーにとってさえ――脱構築が思考そのものと同じだということではない。

後期ハイデガーとアーレントの「思考」にそれぞれ取り組んでいる二つの論考〔第4、5章〕は、デリダの思考概念がその独特さにおいてさらに規定されうるような背景として明示的に役立っているわけではないが、デリダの思考が帯びるいくつかの位相が、彼らと対照されることでいっそうはっきりとした輪郭を現すことになる。ハイデガーの〈省察〉の概念は、当初は哲学が哲学自身について行なう自己省察（Selbstbesinnung der Philosophie）を枠づけ方向づけ直すために展開されたものだが、本章で論じられることになったのは、近代科学とその理論をめぐるハイデガーの考察という文脈においてである[4]。理論的諸科学に含み込まれている種類の方法論的な思考に対してハイデガーは「省察」を対置するのであり、これはたんに、本質を見張ることとしてのテオーリア〔観想〕についての古代ギリシアの根源的理解を現在に復活させるというひとつの思考様式のことであるだけではない。それはむしろ、現代世界のように世界の根本崩壊によって特徴づけられる世界に対して、そうした見張りを革新的な仕方で解釈することなのである。〈省察〉とは、進行中ではあれせいぜいが本質上はかない兆候を通してのみ告知されるようなものによって定位される思想のあり方である。それは依然としてそうでないもの、すなわち、いまだ来たらざるままにとどまっている世界を見張るということから成り立っている。ハイデガーにとって思考することとは、時間ないし世界に内在的である。すなわちそれは、ギリシアにおける思考としての思考そのものの過去へと解釈しつつ遡ることなのであり、当の思考は、ギリシアの思考を前代未聞の仕方で変形することで、その未来の到来は予言しえぬままであるにせよ、この未来へとみずからを実現することにむけて延びてゆくのである。思考のこうした時間構造は、デリダによって取り上げられており、それによれば、思想は、ひとがそのなかで思考する伝統――とはいえその伝統には選択的な仕方でしか出会うことができないのだが――にむけての応責任に根ざすと同時に、〈来たるべき〉ものへと延びてゆく思想の目的論的な働きにも根ざしている。かくしてそれは、ハイデガーが「省察」と呼ぶものの様相を呈するのである。

デリダの思考概念がハイデガーの省察と異なる諸相の少なくともひとつを強調するための手段は、

厳密な意味での判断のような何か、すなわち、いかなる基準も欠いた判断だけが可能になるにあたって吹く〈破壊の風〉としてのアーレントの思想理解によってもたらされる。実際に、アーレントが〈思考の風〉と呼ぶもの――それは判断を導く既得の概念・定義・価値・教説のいわゆる自己明証的な真理を批判的に吟味することでそれらを吹き飛ばし、決断の試練に直面できるよう判断に余地をつくる――は、デリダの著作にあってははるかに強烈に吹き荒んでいる。誇張法的ともいえるデリダの批判的警戒は、アーレントの「思考の風」よりもずっとラディカルである。戦略的な理由がある場合を別にすれば、この仮借なき一貫した警戒は、いかなる妥協も許さず、そうしたものとして――〈第3章〉「タイトルなしに」で示したように――この警戒は、デリダの思想がまさにそうであることの証明印となっている。ハイデガーが「省察」として理解する思想は、形而上学と理論的諸科学によって覆い隠され顕在化されないままになっていたもろもろの可能性に立ち戻るという思想様式をなしており、そのようにしてこれらの諸可能性を、来たるべき世界――どれほど不確かであれ――のために実り豊かなものにすることであった。それとは対照的に、デリダの思想は、ハイデガーの思想が前提としている遡行的な目的論を問い質すのみならず、ハイデガーによれば〈存在〉の思想が思想史を代表しているというテロスをも問い質す。デリダの思考のあり方がハイデガーの省察する思想と袂を分かつところは、ハイデガーの思想を導く〈存在〉の問いがどれほど決定的であろうと、それが思想の目指すテロスをあらかじめ判断し規定してしまい、そうしてその可能な方向をひとつの地平――〈存在〉の問いの地平――のうちに閉じ込めてしまうという点においてである。デリダの思想に特有でその警戒を証し立てるものは、この思想が、ひとつの定まった思想に——たとえそれが〈存在〉の思想であったとしても——落ち着くにいたることがないということである。『存在と時間』から明らかなように、〈存在〉の思想は、伝統の解体、ひとつのデストルクツィオンを前提としている。デリダは〈存在〉の統一的な機能を問いに付し、ひとつの統一地平へと思想の方向づけを執り集めるのを阻止することによって、ハイデガーのデストルクツィオンから遠ざかり、最終的には脱構築——当初デリダがハイデガーの用語を翻訳するのに援用した語——そのものからも遠ざかるのである。おそらく現象学の伝統におけるデリダ自身の思想の源泉と資源をめぐるこうした仮借なき批判が、デリダの思想がひとつの脱構築として参照されつづけるという逆説的な事実を説明している。

原註

［1］ Jacques Derrida, *Writing and Difference*, trans. A. Bass (Chicago: University of Chicago Press, 1978), p. 12. See also p. 79.〔ジャック・デリダ『エクリチュールと差異』合田正人・谷口博史訳、法政大学出版局、二〇一三年、二五頁。また、一五四頁も参照〕

［2］「批評としての脱構築〔Deconstruction as Criticism〕」は当初『グリフ』第六号（*Glyph*, vol. 6）で一九七九年に出版された。『鏡の裏箔——デリダと反省哲学〔*The Tain of the Mirror: Derrida and the Philosophy of Reflection*〕』は一九八六年にハーヴァード大学出版局から、また「批判、超批評、脱構築について——ベンヤミンの場合〔On Critique, Hypercriticism, and Deconstruction: The Case of Benjamin〕」は『カードーゾ・ロー・レヴュー』第一二号（*Cardozo Law Review*, vol. 12）で一九九一年に発表された〔なお「批判、超批

評、脱構築について」は現在、ガシェの著書 *The Honor of Thinking: Critique, Theory, Philosophy* (Stanford, CA: Stanford University Press, 2007) の第1章に収録されている〕。

[3] Hannah Arendt, *The Life of the Mind. One/ Thinking* (New York: Harcourt Brace Jovanovich, 1978), p. 212.〔ハンナ・アーレント『精神の生活（上）』佐藤和夫訳、岩波書店、一九九四年、二四四頁〕

[4] Martin Heidegger, *Besinnung, Gesamtausgabe*, Bd. 66 (Frankfurt/Main: Klostermann, 1997), S. 45–67.

I デリダ以後の脱構築

1 脱構築の、力

『幾何学の起源』刊行の翌年、一九六三年に書かれた「力と意味作用」は、前年に刊行されたジャン・ルーセの著作『形式と意味作用——コルネイユからクローデルまでの文学的構造について』〔一〕に対する批判的応答である。この初期のテクストは「脱構築」という言葉こそ用いていないものの、そのなかのある段落では、デリダがルーセの著作に対するみずからのアプローチを顧みて、その手続きのあり方、「戦略的操作」(28〔47／五七〕)[1]の概略を描き出していて、これが後に「脱構築」と呼ばれることになる当のものを予期している。その段落がとくに興味を惹くのは、以下の理由による。すなわち一九六七年の『グラマトロジーについて』刊行以後、脱構築として一般に理解されているのが、再評価されたエクリチュール概念の名におけるロゴス中心主義批判であり、つまりは生きた声・十全な現前・近接性等々への西洋思想に内在的な価値賦与の批判であるとすれば、この「力と意味作用」における初期の「脱構築」の定式化は——本稿が主張しようとするように——おそらくある意味でいっそう徹底的・全面的なものであり、なぜデリダがその後のさまざまな著作であれほど多様なコンテクストにおいて脱構築について語ることができたのかを説明してくれるはずだ、ということである[2]。この脱構築のいっそう徹底的な定式化が力の問題系に結びついているのは、たんなる偶然にすぎないのだろうか。当の論考のタイトルに示唆されているように、デリダはルーセの形式概念に力を対置しているのである。さらに、このような「力と意味作用」での力への価値賦与が、脱構築の概念にとって不可欠な要素であるということ、それも、その奇妙な力ゆえに、ロゴス中心主義の（こう言ってよければ）「たんなる」暴露として理解されているような脱構築よりも、ある意味でいっそう徹底的な脱構築の概念にとって不可欠な要素であるということ、それもやはり偶然によるのだろうか。

「力と意味作用」でのデリダは、構造主義の多産性を認めるとしても、方法としての構造主義の有効性を「夢遊病者のものとされる不可謬性」（4〔11／六〕）と特徴づけている。全体として「力と意味作用」は、デリダのいう構造主義の「夢遊病の巨大な領域」（4〔11／六〕）――これは構造主義の無反省性と不透明性との結果である――との批判的討議である。デリダによれば、構造主義においてはこの夢遊病が「ほとんどすべて〔presque-tout〕」をなすが、これに対立するのが、構造主義という現象と、言語への構造主義の本質的関係とから生じる暗黙の問いの「ほとんど無〔presque-rien〕」である。この「ほとんど無」を、デリダは「純粋な目覚め、当の問いそれ自体の不毛かつ沈黙した辛辣さ」（4〔11／六〕）に結びつけている。言うまでもなく、構造主義の出現によって立てられた沈黙の問いの「ほとんど無」こそが、哲学者としてのデリダの興味をなによりも惹く当のものである。では、この問いはどのようなものだろうか。論考の「前奏部分」での[3]デリダの主張によれば、構造主義は「まなざしの冒険、対象が何であれ問いの立て方の転換」（3〔9／三〕）である以上、たんなるそのときどきの流行に類するものではなく、したがって流行が過ぎれば思想史家の対象となりうるようなものではない。そこからデリダはこう続ける。構造主義の出現は「言語についての不安――これは言語の不安、言語それ自身のなかでの不安にほかならない――」に結びついており、この不安は「あらゆる領域において、あらゆる経路によって、いっさいの差異にかかわらず」、「普遍的考察」すなわち哲学にかかわっている（3〔9／四〕）と。この言語について／の／なかでの不安、つまり、普遍的考察が問うこともせず自明としていた言語の記号的本性〔nature signitive〕についての不安に示されているのは、デリダの主張によれば、構造主義という現象が数多ある歴史的現象のひとつというより、むしろある「驚き〔étonnement〕」の経験の「徴候」（3－4〔9－10／四―五〕）にほかならないという事実である。構造主義によって立てられた沈黙の問い、当の構造主義の出現を説明するはずの問い、この問いにともなう驚きは、言語について／の／なかでの驚きであり、これによって言語は、みずからの記号的本性が「不確実・部分的・非本質的」（4〔10／四〕）なのではないかと、みずからの記号的本性の限界についての不安な意識に目覚める。ひとつの現象としての構造主義は、このような言語の驚きに根ざしている。それは言語自身のはかなさ《テンポラリティ》についての驚き、あるいは後に見るように「それなしには言語が言語でないような、言語の他者」である力（27〔45／五四〕）についての驚きである。構造主義を特徴づけて、これを比類なき「まなざしの冒険」とするこの驚きは、プラトンとアリストテレスによって哲学することの始まりであるとされた驚き《タウマゼイン》〔θαυμάζειν〕［11］の経験に匹敵するばかりか、西洋の哲学思想それ自体にかかわる以上、そのいっそう徹底的な形態でもある。構造主義のなかでは、この驚きは、言語をめぐる当の驚きから生じる問いの「ほとんど無」でもある。これが西洋思想全体にとっての問題となる。しかし言語について／の／なかでのこの不安は、すでにほのめかしたように、哲学的なものの端緒となるありきたりの経験ではない。構造主義的・言語学的な感性を構成する驚きが比類ないものだとすれば、それは「発語《パロール》の可能性を前にして、つねにすでにその可能性のなかで」、この驚きが「他のいかなる驚きとも共通の尺度をもたないある驚き」の「ついに認められた反復」だからである（4〔10–11／五〕強調は引用者による）。言い換えれば、西洋思想がつねにすでに悩まされていていまや無視することのできないもの、そのようなものの反復だからである。この驚きとともに始まる思考の様式によって、西洋の哲学思想全体のなかでのいっさいの確実性が揺るがされる。現象としての構造主義の出現によって生じ、西洋の普遍的思想全体にかかわるこの思考は、当の構造主義の夢遊病と比べると、純粋な覚醒の思考、あるいは徹底的な警戒《ヴィジランス》の思考である〔三〕。構造主義における沈黙した問いの「ほとんど無」とともに生じるこの新たな様式の思考が、「力と意味作用」において完全な効力をもって全力で活動している。それはまだ「脱構築」と呼ばれてはいないが、この新たな様式の思考に結びついた覚醒と警戒——言語の不安による状態——には、たしかに「脱構築」の究極的要点をいかに理解すべきかがはじめて指し示されている。

構造主義の夢遊病に対するデリダの批判がわれわれの興味を惹くのは、構造主義それ自体とともに明るみに出る「ほとんど無」を出発点とするこの批判においてこそ、デリダ自身のアプローチの輪郭が描き出されているからである。文学的事象の理解に対するルーセの革新的な貢献の数々を挙げた後、そこから進んでデリダが示すのは、『形式と意味作用』の綱領的な序論にみられるような、構造主義的アプローチによって可能となった文学作品への斬新な洞察にもかかわらず、ルーセが、当の著作の大部分をなすコルネイユからクローデルまでの文学作品の読解において構造主義をプラトン主義化しているばかりか、文学作品の構造を客体化することで、文学作品に内在する時間性と歴史性とに盲目となってもいるということ、すなわち、序論での約束によれば文学作品の「内的な発生論」においてこそ、価値と意味とがそれらの歴史性とそれらに固有な時間性とにおいて再構成され、目覚めさせられる」（14〔26／二八〕）はずだったのに、当のルーセ自身がこの「内的な発生論」を阻害しているということである。

ひとつの文学作品のなかでは〈形式と意図〉あるいは〈構造と意味〉は不可分であるとの主張にもかかわらず、ルーセが実際にやってみせる文学作品の具体的分析は――もっぱら、ではないものの――まずは、問題となる作品の形式的・構造的な相に焦点を合わせている。以前の文学批評において構造がひとつの手段でしかなかったとすれば、いまや構造は「対象それ自体、文学的なものそれ自体」となり、「独占的なターム〔terme〕」――すなわち文学批評の終着目標――となる（15〔27-28／三〇〕）。すでにこれだけでも、デリダがルーセのアプローチを「ウルトラ構造主義」と特徴づけるのに十分な理由となるが、それだけではない。さらに「この文学的なものとしての構造が、今度は文字通りに理解されるか、少なくとも実践される」（15〔28／三一〕）。実際、デリダが述べるように「構造とは、まずは組立てないし構築物の内的な統一性としての作品――有機的であれ技巧的であれ――のことを言う。すなわち統一的な原理に導かれた作品であり、それ自身の場所性において組み立てられ可視的となった建築である」（15〔28／三二〕）。言い換えれば、ルーセのウルトラ構造主義において、構造は本来の意味で受け取られ、つまりは「形態学的であれ幾何学的であれ、空間」だけを指している（15〔28／三二〕）［4］。このような「構造」概念が『形式と意味作用』のウルトラ構造主義を特徴づけるのだが、このルーセの著作への応答においてデリダが異議を申し立てるのは、まさにこのような「構造」概念に対してなのである。

　さて「力と意味作用」のなかでも、ルーセのようなウルトラ構造主義に対するみずからのアプローチをデリダが反省している一節に立ち戻る前に、まず「力」について言っておかねばならない。そのさいには、おそらく『法の力』に手短かに迂回するのがよいだろう。そのなかでデリダはこう指摘している。「「脱構築的」といわれる幾多のテクストで、とりわけ私自身が刊行したテクストのいくつかで、とても頻繁に「力」という言葉が用いられ、戦略的な場ではあえて決定的とさえ言ってよい用いられ方をしているけれども、そこにはつねに――あるいは、ほとんどつねに――明示的な留保、警告も伴っているのである。この言葉が惹き起こしかねない危険に対して、私はしきりに警戒を呼びかけてきたし、私自身もそれを心がけてきた。たとえば曖昧《オブスキュール》かつ実体論的な、隠秘的《オキュルト》－神秘的な力概念を振りまわす危険があるし、暴力的かつ不正な、無規則かつ恣意的な力を権威化する危険もある」［5］。とはいえ「力と意味作用」で力という術語《ターム》を解釈してデリダが述べているように、「力は曖昧なものではないし、形式の下に隠匿された実体・質料・地下聖堂《クリプト》でもない。二項対立に基づいて力を考えることはできない」（28〔46／五六〕）。『法の力』でのデリダは、力概念の危険に対する先の警告が「力の示差的な性格を想い起こす」ものであることを述べてから、「力という言葉が不可欠だと判断することがたびたびあったとしても、この言葉にはつねに居心地の悪さを感じてきた」〔6〕と言い添えている。こうした警告を見失わぬよう気をつけながら、「力と意味作用」において、ルーセによる形式・構造の強調に対抗する能力が、いかにして力という言葉に与えられるのかをとくに見てゆくことにしよう。

デリダはこう書いている。「『形式と意味作用』において幾何学的・形態学的なものを修正するのは力学でしかなく、エネルギー論ではけっしてない。必要な変更を加えれば《ムータティス・ムータンディス》、ライプニッツがデカルトを非難したのと同じ事由でルーセを非難し、またルーセを通して最良の文学的形式主義を非難する気にさせられても無理はない。ライプニッツによれば、デカルトは自然におけるすべてを形状と運動とで説明しようとし、力を運動量と取り違えることで力を知らずに済ませたのだった」（16〔29／三三〕）。ルーセの汎形式主義・汎幾何学主義に力概念を対立させる身ぶりをある種の誘惑と特徴づけることではじめから明らかにされているのは、そのような戦略が依然として古典的な哲学言説の制約内にとどまっているということである。さらには、ルーセの形式主義に対抗し、これを修正することを期待されている力の概念それ自体が、古典的な哲学的対立関係の武器庫から採られたものである。明らかに、ここでの力は強制力のことを含意していない。また、ここでの力は、たんに自然における変化や物体運動の作用因のことでもない。作用因とは、アリストテレスの可能態《デュナミス》〔δύναμις〕理論で展開され、細かな違いはあってもニュートン登場まで通用していた力概念である。エネルギー論への否定的な言及からすると、デリダが参照しているのは異なった力概念であり、運動量と同じではない力概念であると想定するほかない。実際、ルーセによる形式の優先と対照をなす力の概念――ライプニッツの力概念――は、明らかに形而上学的なひとつの原理にほかならない。

デリダは力を形式に対置すべく、とりわけライプニッツの『形而上学叙説』を幾度か参照している。そのライプニッツは「第一哲学の改善」でみずからの形而上学的な力概念をはじめて素描して、スコラ学の実体概念を鍛え直すというコンテクストでそれを展開している。そこでライプニッツはこう書いている。「このこと〔実体概念〕をあらかじめ少し味わってもらうために、さしあたり言っておきたいのは、力《ウィース》ないし力能《ウィルトゥース》の概念〔notio *virium* seu virtutis〕（これをドイツ人はクラフト〔Kraft〕と呼び、フランス人はラ・フォルス〔la force〕と呼ぶ）――これの説明に、私は動力学《デュナミケー》という特殊な学問を割り当てた――が、真の実体概念を理解するのに多くの光を投じてくれるということである」。ウィース・アクティーウァ〔vis activa〕という意味での力は「能動的な力」であって、実際に作用するのに他からの働きかけを必要とする「たんなる潜勢力《ポテンティア・ヌーダ》〔potentia nuda〕」ではない。言い換えれば、ライプニッツが説明しているように「能動的な力《ウィース・アクティーウァ》は、なんらかの現勢態《アクトゥス》すなわちエンテレケイア〔ἐντελέχεια〕を内含しており、作用する能力と作用それ自体とのあいだの媒介である。つまり衝迫《コーナートゥス》〔conatus〕を内包しており、「たんなる潜勢力とは異なって」自身だけで作動状態に移るのであって、障害を除くこと以外に助けを必要としないのである」。ライプニッツが述べるように「物質における運動の究極的根拠は、創造において押し込められた力である」。ここでぜひとも注意しておきたいのは、この力が、究極の実体としての神によって「すべての実体」に――物体的実体であれ精神的実体であれ――刷り込まれ、またたえず神から流出する力を介して再創造をしつづけている以上、もろもろの実体のあいだにあって作用する力能であり、したがって他の作用を産み出す力能であるということだ。このような力の本性ゆえに「物体的実体は（精神的実体と同じく）けっして作用するのを止めはしない」〔7〕。ライプニッツが指摘するように、デカルト主義者など、物体的実体の本性をもっぱら延長によって定義する者たちは、以上のようなことを十分に認めてこなかった。ライプニッツは、これよりいくぶんか細やかにではあれ、『形而上学叙説』でも同じ主張をしている。その『形而上学叙説』に、デリダは「力と意味作用」で明示的に依拠しているわけである。

　ルーセのウルトラ構造主義との討議のなかで、デリダがほかでもないライプニッツの力概念に向かう第一の理由は、次の一節に感知することができる。デリダはライプニッツを引きながら、こう書いている。「物体以上に「魂にかかわる」言語とエクリチュールとの圏域では、「大きさ・形状・運動の概念は、思われているほど判明ではなく、なんらか想像的なもの、われわれの知覚に関係したものを含んでいる」」（16‐17〔29‐30／三三〕）〔四〕。疑いもなく、あらゆる事物の創造主である神とも、事物を知覚する人間のわれ思う《コーギトー》とも異なって、物体的なものそれ自体は延長するもの《レース・エクステンサ》〔res extensa〕である。かくして物体的なものは「「大きさ・形状・運動」」によって特徴づけられる。しかし、すべての存在者のなかでもっとも完全なものである神は、結果としてすべての諸世界のなかでも最良のものだけを創造したと考えられる以上、その神によって創造された事物として、物体的事物は――ライプニッツの主張するように——たとえ魂をもたないとしても、たんなる幾何学的なもの以上のものでなければならない。ライプニッツはこう書いている。「もし物体が実体だとすれば、その本性が大きさ・形状・運動にだけ存しているということはありえず、なにか別のものがなければならない」〔8〕。物体の（相対的な）完成状態と個別性——これはある意味で当の物体の創造主を反映する鏡である——を保証する能動的な力《ウィース・アクティーウァ》（エネルゲイア〔ἐνέργεια〕）の表現として、当の物体は力をもっているのでなければならない。少なくともライプニッツのいう「普通の形相あるいは動物的な魂」〔9〕をもっていなければならない。であれば、創造された魂にあってはなおさらそうでなければならない。いかなる創造された魂も、個別的な実体として、それぞれに固有な独特の仕方で完成されたひとつの全体であって、神による途切れのない支えのおかげで、神からたえず発せられている力によって裨益されているからである。しかるにデリダが述べているように、言語とエクリチュールとが物体よりも魂の秩序にかかわっている以上、幾何学的形状と空間的運動とはそれらを扱うのにふさわしい概念ではない。言語とエクリチュールとは、むしろエネルギー論の術語《ターム》で考えられねばならない。またライプニッツからの引用によって、デリダは——依然として古典的な論法の枠組のなかにとどまってはいるが——以下のように示唆することもできている。すなわち、幾何学的形状と量化可能な運動とは、言語とエクリチュールとの領域においては想像的なものに類している、と（これは、芸術創造における想像力の決定的な役割に対するルーセの承認を当のデリダ自身が称讃していることと対照をなしている）。しかしすでに述べたように、ライプニッツの力概念へのデリダの依拠は、二項対立に基づく形而上学の思考法による誘惑にすぎない。

このようなことは、これまでに論じてきていた途にデリダが立ち返る転機にもなっている。以下の段落は長い一節ではあるが、英訳文に変更を加えつつ〔五〕全体を引用せねばならない。

ここでわれわれは、振子・平衡・逆転といった単純な運動によって持続を空間に、質を量に、力を形式に、意味・価値の深みを形状の表面に対立させているのではない。まさにその反対である。そのような単純な二者択一、二つの項《ターム》・系のうちのひとつを採るという単純な選択に対してわれわれが思うのは、新たな概念と新たなモデルとが探求されねばならないということ、この形而上学的な対立関係の体系を逃れるひとつのエコノミーが探求されねばならないということである。そのエコノミーは、純粋かつ不定形な力のエネルギー論ではないだろう。そこで考慮される差異は、場所の差異であるとともに〔à la fois〕力の差異であるだろう。もしわれわれがここである系を他の系に対立させているように見えるとしたら、それは、なんらかの構造主義によって後者の系に単純に認められてしまっている無批判な特権を、われわれが古典的体系のなかに浮かびあがらせようとしているからである。われわれの言説は、形而上学的な対立関係の体系に確固として属している。この帰属関係の切断を告知するには、なんらかの組織化、なんらかの戦略的な整備作業によるほかない。その作業は、形而上学的な対立関係の体系の領野と、それに固有なもろもろの力能とのなかで、その領野に固有な戦略素〔強調されている!〕を当の領野自身に向け返すことで、ある脱臼の力〔force de dislocation〕〔強調されている!〕を生産するだろう。そしてこの力が当の体系全体に拡がり、あらゆる方向に亀裂を走らせ、当の体系を貫いて限界の画定＝解除〔dé-limiter〕をするだろう。（19-20〔34／三九―四〇〕）

疑いもなく――デリダの読者にとっては――この段落には、脱構築にかんして後になされる数多くの言明、たとえば『グラマトロジーについて』における「方法の問題」〔六〕に似た響きがある。みずからの議論の進め方について後になされる反省に似て、ここに引用した一節は、デカルトのいう意味での方法、すなわち客観性にいたるための機関についての反省ではない。この一節は、むしろギリシア語のメトドス〔μέθοδος〕の意味で、ルーセの構造主義についてのデリダの議論によって立てられる問いや問題の全体にかかわっている〔10〕。しかしデリダ自身による後のいわゆる方法論的反省に似ているとしても、ここで問題としている段落は、私見によれば後の反省とはいくぶんか異なっているし、したがって細かな検討に値する。それはけっして、ここではまだ脱構築という概念への言及がないからではない。ルーセの構造主義において構造・空間・形式・形状に認められた特権に対して、力の概念と、ひいては時間・質・意味・価値といった概念とをもってデリダが抵抗しているように見えるとしても、このような抵抗は、哲学的思考の古典的体系による誘惑にすぎないと言われている。デリダにとって、たんにルーセのウルトラ構造主義が無視しているものを言い立てるのが問題なのではなく、したがって、ひとつの芸術作品に賭けられているものについてのいっそう平衡の保たれた見方を自称することで、ルーセのアプローチにたんに反論するのが問題なのではない。デリダは、芸術作品の別な規定――ルーセのアプローチと相補的な、しかし同じく一方的な規定――の観点から、ルーセによる優先順位の秩序を転倒させようとしているのではない。もしそうなら今度は芸術作品の規定は、力と、力概念に結びついたいっさいのものとに基づくことになるだろうが、そのようなことは問題ではない。デリダは、ある概念系を別の概念系で置き換えようとしているのではない。そのような概念系の置き換えは、対立する概念系の置き換えであるほかない。いずれを採るかは、思考の古典的体系によって批評家の裁量に任されているにすぎない。デリダがねらっているのは、なにか別のことである。ある系と別の系とをたんに交換してみても、依然として、問題となる体系のなかにとどまり、その体系に含まれるもろもろの対立関係と、それらを構成する階層秩序とのなかにとどまっていることに変わりはない。二つの系のあいだでの選択は、思想の古典的体系によってあらかじめ批評家のために用意されたもの、したがって当の体系の制約のなかに批評家を堅固に押し止めるものであって、厳密に言えばそもそも選択ではない。そのようなあらかじめ用意された選択を逃れるには、デリダの考えでは「新たな概念と新たなモデルとが探求されねばならない」[11]。

すでに指摘したように、デリダは、たんに力の概念をもってルーセのウルトラ構造主義に抵抗しているのではない。そのような力概念は、伝統的な概念対立の登記簿に見いだされるものだからだ。しかし、もう一度こう問うてみよう。そのような仕方でルーセのウルトラ構造主義に抵抗する気にさせられるかもしれないと述べるとき、デリダがライプニッツの力概念に訴えるのは、正確にはなぜなのだろうか。実際、ライプニッツの力概念の弁別特徴のひとつとして、以下のことがある。すなわち、力は——空間的観点からすれば——みずからが作用する場へと延びてゆくということ、また——時間的観点からすれば——現在の時点からみずからの作用する未来へと延びてゆくということ、かくして、いずれにしても力はみずからを超えてみずからの作用の及ぶところへと延びてゆき、みずからの働きかけるものとみずからとを統一するということである。もちろん、ルーセとの討議のなかでデリダが新たな概念を求めているとすれば、デカルトによる空間的なものの特権化に対してライプニッツが持ち出した力の概念は、デリダが求めている新たな力概念ではありえない。それでもライプニッツの力概念は、おそらくそれ以前の——とくに機械的な——力の概念よりもいっそうよく、新たな概念を産み出す助けになってくれるだろう。

引用した一節でデリダが行なっている、自身の歩みのたどり直しは、ルーセの主張に加えられるデリダの分析をなす特殊な運動と、その分析の行なわれるさいの視点となる目的とに触れている。この運動と目的とが、脱構築の問題系の最初の定式化となる。デリダが展開しようとしている新たな力概念は、もはやルーセによる構造・形式に単純に対立させることができない。この力概念を脱構築の力と呼ぼう。そのさい、この「の」を目的語の属格〈脱構築をもたらす力〉として理解されたい。この力にかんして、さしあたりデリダが言っているのは、それが「純粋かつ不定形な［pure et informe］力」でないこと、したがって純粋な形式の二項対立物でないことだけである。この力が無形式・不定形でなく、それゆえもはや鮮明に形式に対立するのでないとすると、このような力をどう捉えたらよいのだろうか。この点を理解するには、デリダによる以下の主張を考慮せねばならない。それによれば、われわれの裁量に任されている二者択一とモデルとを逃れるには、「この形而上学的な対立関係の体系を逃れるひとつのエコノミー」が見いだされねばならない。「そのエコノミーは、純粋かつ不定形な力のエネルギー論ではないだろう。そこで考慮される差異は、場所［lieux］の差異であるとともに［à la fois］力の差異であるだろう」。このエコノミーが、形而上学的な概念の二者択一に抵抗すべき新たな概念を探求するなかで求められている新たなモデルである。ここでデリダは、いかに「エコノミー」を理解すべきかを詳しく述べてはいない。およそエコノミーとは、オイコス〔οἶκος〕のノモス〔νομός〕、すなわち家ないし家政の法である。さしあたりは、新たな概念同士が——形而上学的な対立関係に先立って、あるいはそれを超えて——関係しあって、ある種の全体へと組織化されるさいに従っている法が「エコノミー」である、とだけ言っておこう。実際、ここでデリダの用いているエコノミー概念が内密のうちに結びついているのは、フェルディナン・ド・ソシュールによる価値としての言語要素の理論である。この理論によれば、価値としての言語要素には、言語という全体のなかでの当の要素間の相互関係から独立した同一性などない。言い換えれば、言語の要素は本性的に示差的なものである。しかし、このエコノミーがもはや純粋かつ不定形な力のエネルギー論ではないだろうとの主張によって、やはり、これが——デリダが後期の著作でみずから用いる表現で言えば——「力のエコノミー」ではあることも示唆されている。もはや無形式ではない力ということで何が意味されているのかをいっそう慎重に考察することで、おそらく問題となるエコノミーのいっそうよい理解が得られるだろう。このエコノミーはもはや——構造・空間性から峻別され、それと対立する——

純粋かつ不定形な力のエネルギー論ではない以上、もろもろの差異のエコノミーであり、それも力の差異のエコノミーであるほかない。それらの差異は、もはや場所の差異――すなわち空間・位置・形状や、構造などの空間的ないっさいのものの差異――でもなければ、力それ自体の差異でもなく、むしろ「場所の差異であるとともに力の差異である」。かくして時間性も、この新たなエコノミーの不可欠な要素である[12]。このエコノミーにおいて、場所はもはや単純に場所ではなく力‐成分を含むし、力はもはや未分化ではなく場所‐成分を含み、したがって空間化されているだけでなく複数的でもある。ここで想い起こしておきたいのは、ライプニッツの形而上学的な力概念が、もはやひとつの場所・瞬間の限界内に閉じ込められておらず、むしろみずからの作用する場所・事物へと延びてゆくものだったことである。ライプニッツがこの力概念を用いたのは、デカルトによる空間的延長と幾何学との強調に異議を申し立てるためだった。この事実に加えて、デリダがまさにこの力概念に訴えることでルーセとの討議を進めていること、あるいはむしろ彼自身のいう「その気にさせられても無理はない」仕方で議論を進めていることも、容易に見てとれる。しかしライプニッツの形而上学的かつ神学的な力概念は、ルーセのウルトラ構造主義に対するデリダの応答そのものではなく、明らかに、新たな力概念、すなわち示差的な力概念を考察するための出発点にすぎない。一方的な立場からの対立・逆転・平衡といった古典的操作を避けるべくデリダが提案するエコノミーは、場所の差異であるとともに力の差異でもある、そのような差異のエコノミーである。とすれば、そこでの差異は、場所によって標記《マーク》された力の差異であるとともに、力が及んでゆく先となる場所の差異である。このような示差的な力概念は、いっさいを包摂して統一するライプニッツの力概念——ここでは差異の構造的特徴としての示差性は、差異のひとつの体系を前提している——を脱構築的に変形する。この示差的な力概念が、脱構築の力（目的語の属格《ゲニティーウス・オブイェクティーウス》〔genitivus objectivus〕）にほかならない。

先ほど引用した長い一節から明らかなのは、ルーセとの討論において構造に力概念を対立させることは、たしかに形而上学的思想によって批評家に仕かけられる誘惑であるだろうけれども、しかし形式に対立させて力を擁護する気にさせるこの誘惑の虜となっているとの印象には、それでもやはり作動して然るべき決定的な機能があるということだ。いっそう正確に言えば、この誘惑の虜となっているように見えることには戦略的な理由がある。これによって、素朴にも構造主義が空間的な概念系に認めている無批判な特権に照明を当てられるからである。構造に力を対立させるのは、「形而上学的な対立関係の体系に確固として属している」身ぶりだとしても、構造主義の素朴さや危機的な夢遊病を浮かびあがらせる助けとなる以上、この体系への帰属関係を切断しようとするいっそう大きな操作のなかの一契機でもある。しかし、形而上学の体系とのいっさいの結びつきを切断しうると考えること、とくに当の体系外の立場からそう考えるのは、形而上学自身が（批評家をいっそう巧みに再吸収すべく）仕かける——罠でないにしても——幻想である。形而上学の体系への帰属関係の切断は、もっぱら当の体系の内部で、当の体系の規則に（見たところ）従って遊動するなかでだけ告知されうる。したがって、そのような切断は鮮明な離脱ではない。形而上学的な対立関係の体系への帰属関係の切断が、エコノミーというかたちを取ることを想起しよう。ここでデリダが述べている組織化と戦略的な整備作業《アメナージュマン》（aménagement）は、その体系の戦略素を当の体系自身に向け返し、かくして当の体系に新たな家政《メナージュ》〔ménage〕の準備をさせる（家政《メナージュ》という術語は、家にかかわるもの、俗ラテン語にいわれるマンシオー〔mansio〕にかかわるものを指示する〔13〕）。ここでデリダが述べていることには、このコンテクストにおける「エコノミー」という術語のさらなる意味、おそらくは決定的な意味が示唆されている。形而上学的な対立関係の体系は、われわれ――すなわちわれわれ西洋人――が帰属している体系である。それはわれわれの家、オイコスである。およそ考えること・言葉を用いることにかかわるかぎり、われわれはその体系のなかに記入されている。しかし、この家のなかで力ないし力能を再組織化・再整備する新たなエコノミーは、「ある脱臼の力」を生産する。そして「この力が当の体系全体に拡がり、あらゆる方向に亀裂を走らせ、当の体系を貫いて限界の画定＝解除をするだろう」。要するに、この新たなエコノミーは、西洋人としてのわれわれが帰属している居住地のエコノミーを内側から転位させ脱臼をもたらす。この脱臼の力は、つねに外側からエコノミーをあちらこちらへと推し進めるたんに機械的な力ではなく、西洋思想の家政の内側から当の家政全体に拡がり、亀裂を走らせ、位置づけ・据えつけ・囲い込みの境界線を取り消し、かくして限界の画定＝解除をする。すでに気づかれたことと思うが、いま話題にしているのは、主語を表わす属格「の」による脱構築の力〔脱構築が行使する力〕である。この意味での脱構築の力は、形而上学の内側から、当の形而上学の家政の法に脱臼のエコノミーを突きつける。この脱構築の力は、形而上学を投げ棄てることにあるのではない。形而上学を投げ棄てたところで、代わりになにか別のもの、形而上学の他者、たとえば非西洋の思想などといったものが、同じ地位に就くだけのことであろう。脱構築の力は、むしろ内側から形而上学の体系の限界を画定＝解除する。したがって、この力がなし遂げるのは正確には何なのかを理解するには、形而上学の体系の本来の場・家・家政（したがって『弔鐘』によれば形而上学の体系に含意される家族的構造〔七〕）から当の体系を内側から脱臼させるということ、この内的な脱臼を成しているのは何なのかを、いま少し掘り下げてみなければならない。形而上学の体系の内側からの脱臼の作用が何をなし遂げうるのかを、いっそうよく掴むべく努めねばならない。

　形而上学の体系全体に拡がり亀裂を入れることによって、脱構築の力がもたらす内側からの切断は、なによりも、いわば形而上学的な対立関係の体系ないし織物・網の糸目を緩めることに存している。脱構築の力は、諸概念の網目を緩め、その配置関係に空間・時間を編み込むところにある。織物を広げて展開し、これを毀損せずに解きほぐし、糸を手繰り出すことで、脱構築の力は、概念の対立関係に空間を挿入するとともに、当の対立関係を時間化する。ルーセのウルトラ構造主義という事例では、脱臼の力としての脱構築は、形而上学の概念的な対立関係の網をそのように緩めるべく、場所が力を示していると見なし、力には空間への関係があると見なす。ここでは、脱構築の力は以下の点を示すところにある。すなわち一方では、力が示差的なものであって、つまりは他の力から区別されないかぎり捉えられないものであること、そして、この差異化の基礎が本来的に空間的なものでもあること。他方では、空間が他の空間から区別されないかぎり考えられないものであること、したがって、そこにはなんらかの形式での力と、なんらかの形式での時間性とが内在していることである。要するに、およそ脱構築の力は、形而上学的な対立関係の体系に差異を——空間的差異とともに時間的差異を——編み込み、言い換えれば対立関係を差異のなかに再記入するのである。

そこで、先に述べておいた主張に立ち戻りたい。すなわち、この「力と意味作用」における脱構築の最初のスケッチは、ロゴス中心主義の暴露として一般に流布している脱構築理解よりも、おそらくはずっと徹底的だという主張である。そのように主張する理由を説明する前に銘記しておきたいのは、いましがた分析してみた「方法論的な」段落には「脱構築」という術語が不在だということである。もちろん、これはけっして偶然ではない。デリダの著作において「脱構築」という術語は、そもそもはフッサールの解体《アプバウ》〔Abbau〕概念と、ハイデガーの破壊《デストルクツィオン》〔Destruktion〕概念との訳語として導入されたにすぎないからだ。これに対して、これまで少し立ち入って注釈してきた段落は、なによりもデリダ自身の思考様式についての反省である。後になって、デリダがみずからの思考法を特徴づけるのに「脱構築」をふたたび自身の術語として用いはじめたのも、本人にとって、さしあたりは不本意なことでしかなかったのである。したがって、問題の段落で素描されたアプローチを遡行的に「脱構築」と呼び、後になって提示されるいくつかの定式化よりもおそらくはある意味で徹底的だと言うのは、この初期のテクストが顕わにしてくれるデリダの思考の根本原則ゆえにほかならない。ここでの「脱構築」は、プラトン主義における——とはつまり本質的に西洋思想全体における——生きた声とエクリチュールのような、なんらかの支配的な対立関係のひとつに結びついているわけではない。むしろ当の段落の第一文から明らかなように、ここでの脱構築は形而上学的な対立関係全体にかかわっている。デリダが指示しているのは、たとえば空間と時間、質と量、力と形式、本来的なものと比喩的なものなどだが、ほかにも、そうした構成的な対立関係の数多くが――自然学と形而上学、経験的なものと超越論的なもの等々――つねにそれと名指されなくとも「力と意味作用」全体を通じて暗に指示されている。ここでの脱構築に広範な推力があるように見えるとすれば、それは、この脱構築においての哲学的思考の原理的カテゴリーの全体が賭けられ、いわば哲学的思考の体系そのものが賭けられているからである。それに、ここでの脱構築は、形而上学的思想の蔵する根本的な対立関係のいっさいをねらいとするだけでなく、いっそう一般的に、対立関係にあるということそれ自体をねらいにしている。ここで企てられているのは、およそ対立関係を、制限された形式での差異として、いわば差異一般、示差的な力、力のエコノミーのなかに再記入することなのである。

少し中断していた、ルーセのウルトラ構造主義とのデリダの討論の検討に戻ろう。すでに見たように、ルーセの出発点でもあり約束事でもある主張は、ひとつの芸術作品において形式と意味とはひとつであるというものである。ところが具体的な文学作品の分析に取りかかるやいなや、ルーセは形式・構造・幾何学性を優先させてしまう。さらに、たとえば「コルネイユ的な運動」の特殊性を定義しようとするルーセの試みにあっては、「この本質主義ないし目的論的な構造主義の名において、幾何学的‐機械的な図式など意に介さぬいっさいのものが、実のところ非本質的な仮象に還元されてしまう。曲線と螺旋とに制約されない戯曲だけでなく、意味それ自体にほかならない力と質とだけでなく、持続も、つまり運動において純粋な質的不均質にほかならないものも、非本質的な仮象に還元されてしまう」（20－21〔35－36／四一〕）。実際、ルーセによれば、コルネイユのような作家の仕事においては、ある空間的形式こそが創作に生命を与えるテロスとなっていて、そこで創作は究極的な静止状態にいたるのだという。このようなルーセの構造主義は、前成説的かつ目的論的である。それによれば、主作品以前の諸作品でも縮減された形ですでに現前しているものを、ひとつの主作品において成功した形で達成すべく、力・エネルゲイア・持続が次第に抹消されてゆかなければならない〔八〕。しかし、デリダが指摘するように「作品の力、天才の力、また一般に生みだすものの力、これが幾何学の隠喩に抵抗する当のものであり、これが文学批評の固有の対象である」（20〔35／四〇〕）。結論するにあたって、ここでデリダが文学批評の固有の対象だとしている力の概念に、いま少し焦点を合わせてみたい。それは、これまで検討してきた「力と意味作用」における脱構築についての初期の反省に、この力概念がどうかかわってゆくのかをさらに探査するためである。

文学作品の構造主義的な読解についてのデリダの指摘によれば、そのような読解は「それに固有の瞬間に書物の神学的な同時性をつねに前提し、この同時性につねに訴える」（24〔41／四八〕）。同時性は、全体として知覚されうる水平的な表面へと作品を平板化する。結果、作品の内的な持続は――デリダの引用するアンリ・ベルクソンによれば――均質な媒質へと変じられてしまう。このような同時性が、構造主義的な読解の「統制的理念」（24〔42／四九〕）である。しかしデリダがさらに強調するように、平板・水平的であるどころか書物には容積《ヴォリューム》がある。この術語の語源となるラテン語〔ウォルーメン（volumen）〕によれば、およそ書物はまずもって巻物《ヴォリューム》であればこそひとつの書物である。さらに、ヴォリュームとして書物は深さと豊かさとを含意し、つまり平らな表面へと圧延されえないものを含意する〔14〕。デリダは「書物がまずもって巻物《ヴォリューム》であるのは偶然だろうか」（25〔42／五〇〕）と問うてから、こう続ける。「意味（記号作用《シニュアリザシオン》でなく意味《サンス》の一般的意味での意味）の意味が、無限な含意作用だとしたらどうだろうか。これがシニフィアンからシニフィアンへの際限のない送り返しだとしたらどうだろうか。意味の力が或る純粋かつ無限な多義性であって、意味されている意味に休息も静止もさせることなく、意味に固有のエコノミーにおいてふたたび記号となること・差異化することを余儀なくするのだとしたらどうだろうか」（25〔42／五〇〕英訳文には変更が加えられている）。書物のヴォリュームとしての本性によって立てられる問いは、意味の一般的意味での――記号作用《シニュアリザシオン》ないし意味《ベドイトゥング》〔Bedeutung〕でなく、意味《サンス》ないし意義《ジン》〔Sinn〕〔九〕の一般的意味での――意味の意味（le sens du sens）にかかわっている。これに対して示唆されている答えは、書物ないし書かれたものに憑かれた意味の一般的意味とは、当の書物ないし書かれたものに容積《ヴォリューム》があるかぎり「無限な含意作用」であるというものだ。この含意作用《アンプリカシオン》という術語は、語源となるラテン語のインプリカーティオー〔implicatio〕がもちうる文字通りの意味のすべてにおいて、すなわち「畳み込む」「巻き込む」「くるみ込む」「つつみ込む」「関わりあいに引き込む」等々の意味で理解されねばならない。言い換えれば、書かれたもののヴォリュームとしての特質、すなわち巻かれるか畳まれてあるという特質は、ラテン語の動詞インプリカーレ〔implicare〕の文字通りの意味が示唆するすべての可能な様態での、無限な含意作用・関係づけ・送り返しに基づく。さらに、形容詞「無限な」があることから判るように、書かれたものの意味は、目的となる究極的なシニフィエ・指示対象・意味《ベドイトゥング》において静止ないし停止することがけっしてない。書かれたものの意味の意味とは、シニフィアンからシニフィアンへの際限のない送り返しだからである。これは、後に『グラマトロジーについて』で「テクスト」と呼ばれることになる当のものにほかならない。しかしここでは、『幾何学の起源』刊行直後に書かれた「力と意味作用」にみられる、この書かれたものの意味の意味への関心から、デリダのテクスト概念について何を言えるのかを究明するのは措いておき、以下の事実を強調するにとどめたい。すなわち、書かれたものをヴォリュームとして構成するこの際限のない無限な含意作用が、デリダのいう「純粋な言語」〔13〔24／二六〕〕の力であり、同時代のエクリチュールのねらいとしている当のものであるという事実である。この含意作用は、ひとつの確定したシニフィエに意味の意味が凝結するのを延期すること、意味の意味をそれ自身のエコノミーに引き込むこと、かくして意味の意味をして休みなくたえず新たに意味するように「強いる《フォース》」ことに存している。あらゆるシニフィエは、意味することのプロセスへの際限のない送り返しの運動に抵抗しようとしても、この書かれたものの力によって意味作用のエコノミーにたえず新たに投げ込まれているのである。

では以上のことは、脱構築とその力とについて何を語ってくれるだろうか。「脱構築」という言葉でわれわれが指示していたのは、ルーセのウルトラ構造主義に対するデリダのアプローチを形づくる思考の方法のことである。このコンテクストにおいては、脱構築は、形而上学的な対立関係――対蹠的に対立させられ、しかし階層秩序的に構造化されてもいる二つの純粋な価値として理解される――

の解除として、そして当の対立関係の体系に編み込まれた糸を緩める運動として現われる。この脱構築の力は、すでに見たように、そのような対立関係の織物に空間・時間を編み込むこと、つまり当の対立関係をひとつのヴォリュームへと空間化・時間化することに存している。であれば脱構築は、形而上学にヴォリューム（およびテクスト性）を回復させる操作として、あるいはいっそう正確に言えば、つねにすでに形而上学を領有していた――けれども形而上学が平板化しようとしてきた――ヴォリューム（およびテクスト）のなかに形而上学を再記入する試みとして定義することができるだろう。ここで明らかとなるのは、脱構築が、エクリチュールにおいて起こることに対して注意深い思考の様式だということである。脱構築の力は、エクリチュールにおいて不可避的に――それもつねにすでに――起こっていることに、すなわち示差的な諸力のエコノミーのなかでのいっさいの可能な究極的シニフィエの脱臼に思考を集中させるところにある。そこで、こう示唆しておきたい。脱構築とは、エクリチュールを思考に翻訳することである、と。思考の水準において、エクリチュールに孕まれた無限な含意関係の力が――誇張法的でないにせよ――無限な警戒［15］としての思考の力へと翻訳されるのである。

原註

［1］ Jacques Derrida, "Force and Signification," in *Writing and Difference*, trans. A. Bass (Chicago: Chicago University Press, 1978). 以後、このテクストの参照頁はすべてこの版に基づく。〔ここに掲げられた英語訳の頁数に添えて、以下の仏語原文・日本語訳の頁数も、亀甲括弧〔 〕で囲って掲げる（アラビア数字が仏語原文の頁数、漢数字が日本語訳の頁数を示す）。Jacques Derrida, "Force et signification," in *L'écriture et la différence* (Paris: Seuil, 1967), pp. 9–49／ジャック・デリダ「力と意味作用」合田正人訳、『エクリチュールと差異〈新訳〉』合田正人・谷口博史訳、法政大学出版局、二〇一三年、三―六〇頁〕

［2］ ここで、以下の事実を指摘してくれたことを鈴木康則氏に感謝したい。すなわち『クリティック』誌における初出時には（*Critique. Revue générale des publications françaises et étrangères*, n° 193 [June, 1963] and 194 [July, 1963]）、いま言及している方法論的な段落は存在しなかったという事実である。つまり問題の段落は、明らかに、一九六七年に刊行された『エクリチュールと差異』に「力と意味作用」が収録されるにあたって書き加えられたものである。とすれば「脱構築」の「初期の」形態という言い方は、不適切であるように思われるかもしれない。しかし「力と意味作用」の冒頭に方法論的な反省を挿入することで、デリダは、当の論考の全体――あるいは少なくとも大部分――を通じて働いている批判の手続きがどう理解されるべきか、そのヒントを与えてもいる。そしてその批判の手続きには、後に示してみせるように、『エクリチュールと差異』の後半で「ロゴス中心主義の脱構築」と呼ばれることになる当のものよりも (Derrida, *Writing and Difference*, p. 196〔*L'écriture et la différence*, p. 293／『エクリチュールと差異』三九九頁〕) いくぶんか大きな射程がそなわっているのである。ロゴス中心主義と脱構築とを明示的に結びあわせたこの表現は、「フロイトとエクリチュールの舞台」のなかでも、『グラマトロジーについて』を明示的に参照している箇所、それも明らかに後から書き加えられた箇所に見られる。

［3］ 仏語原文では (Jacques Derrida, "Force et signification," in *L'écriture et la différence* [Paris: Seuil, 1967]) p. 14の下方に空行の区切りがあり（英語訳ではp. 6の下方にあたる〔日本語訳では一一頁〕）、論考の本論部分と

それ以前の部分とを分けている。

[4] ついでに指摘しておけば、それゆえ文学作品は、構築物として、完全にテクネーないしポイエーシスに類するものと考えられることになる。文学作品がつくり出されたものであり、なによりまず構築物・建築物であるとすれば、文学作品には内的な原理がなく、したがって内的な発生論も歴史性もないことになる。

[5] Jacques Derrida, "Force of Law: The 'Mystical Foundation of Authority'," in *Acts of Religion*, ed. G. Anidjar (New York: Routledge, 2002), p. 234.〔Jacques Derrida, *Force de loi. Le « Fondement mystique de l'autorité »* (Paris: Galillée, 1994), p. 20／ジャック・デリダ『法の力』堅田研一訳、法政大学出版局、一九九九年、一五頁〕

[6] Ibid., pp. 234–35.〔Ibid., p. 21／同前、一六頁〕

[7] Gottfried Wilhelm Leibniz, "On the Reform of Metaphysics and on the Notion of Substance," in *The Philosophical Works of Leibniz*, ed. G. M. Duncan (New Haven: The Tuttle, Morehouse and Taylor Company, 1908), pp. 75–76. 英訳文には変更が加えられている。〔Gottfried Wilhelm Leibniz, "De Primae Philosophiae Emendatione, et de Notione Substantiae," in *Die philosophischen Schriften von Gottfried Wilhelm Leibniz*, ed. C. I. Gerhardt, vol. Ⅳ (Berlin: Weidemann, 1880), pp. 469–70／ライプニッツ「第一哲学の改善と実体概念」、『単子論』河野与一訳、岩波文庫、一九五一年、三〇七―八頁〕

[8] Gottfried Wilhelm Leibniz, *Discourse on Metaphysics*, trans. P. G. Lucas and L. Grint (Manchester: Manchester University Press, 1953), p. 14.〔G. W. Leibniz, *Discours de métaphysique*, ed. H. Lestienne, (Paris: Felix Alcan, 1907), p. 37; note (d)／G・W・ライプニッツ『形而上学叙説／ライプニッツ－アルノー往復書簡』橋本由美子監訳、秋保亘・大矢宗太朗訳、平凡社ライブラリー、二〇一三年、九七頁・註三〇（手稿『形而上学叙説』第九節冒頭部の一文）〕

[9] Gottfried Wilhelm Leibniz, "New System, and Explanation of the New System," in *Philosophical Writings*, trans. M. Morris and G. H. R. Parkinson (London: J. M. Dent & Sons Ltd., 1973), p. 118.〔Gottfried Wilhelm

Leibniz, "Systeme nouveau de la nature et de la communication des substances, aussi bien que de l'union qu'il y a entre l'ame et le corps," in *Die philosophischen Schriften von Gottfried Wilhelm Leibniz*, vol. IV, op. cit., p. 480／ゴットフリート・ヴィルヘルム・ライプニッツ「実体の本性と実体相互の交渉ならびに心身の結合についての新たな説」佐々木能章訳、『ライプニッツ著作集8――前期哲学』西谷裕作・竹田篤司・米山優・佐々木能章・酒井潔訳、工作舎、一九九〇年、七七頁〕

〔10〕ハンス＝ゲオルク・ガダマーは、ギリシア語におけるメトドスの意味を定義して、「われわれの取り組んでいる事物との交わりに参加すること〔ein Anteilnehmen am Umgang mit den Dingen, mit denen wir uns befassen〕」と述べている(Hans-Georg Gadamer, *Der Anfang der Philosophie* [Stuttgart: Reclam, 1996], p. 39〔ハンス＝ゲオルク・ガダマー『哲学の始まり――初期ギリシャ哲学講義』箕浦恵了・國嶋貴美子訳、法政大学出版局、二〇〇七年、三四頁〕)。

〔11〕このような選択をめぐるコンテクストにおいてデリダが言っていることからすると、脱構築とは、選択の苦悶に思考を直面させる方法であることになる。後にデリダは、これを決定不可能性という術語《ターム》で概念化することになる。それによれば、決定不可能性なしにはおよそ厳密な意味での決定は不可能である。

〔12〕A・バスは「とともに〔à la fois〕」を「と同時に〔simultaneously〕」と翻訳しているが、数頁後にデリダは同時性〔simultanéité〕を神話であると指摘し、その空間的共示を強調している〔24-25〔41-42／四八―五〇〕〕。

〔13〕以下を参照。Walther von Wartburg, *Dictionnaire étymologique de la langue française* (Paris: Presses universitaires de France, 1932), Vol. II, p. 55.

〔14〕書物のヴォリュームとしての本性を強調して、デリダはこう指摘している。「文学的構造主義（おそらくは構造主義一般）の人にとって、書物の文字――表皮・巻物のなかで巻かれている意味の運動、無限、移ろいやすさ、不安定さ――は、広げられ確立された律法の文字、すなわち石板に刻まれた戒律に、まだ取って代

わってはいない（そもそも取って代わることができるのだろうか）」（306; note 53〔42; note 2／五一・註三五〕）。巻物としての書物に言及することによって、デリダは、巻かれた書物――セーフェル・トーラー、すなわち律法の巻物――と、モーセの律法の戒律とを対照させてはいないだろうか。

［15］ここで指示している容赦のない警戒《ヴィジランス》は、デリダのさまざまな著作に拡がり、「フッサールの慎重さ」を典型としている。ある機会にデリダが述べているのによれば、この「フッサールの慎重さ」は、「つねにわれわれの前に」とどまりつづけるであろう［restera toujours *devant nous*］」し、つまりは実行されることをつねに求めつづけ、けっして決定的に果たされることのない課題でありつづけるであろう（Jacques Derrida, *On Touching: Jean-Luc Nancy*, trans. C. Irizarry [Stanford: Stanford University Press, 2005], p. 191〔Jacques Derrida, *Le toucher, Jean-Luc Nancy* (Paris: Galilée, 2000), p. 218／ジャック・デリダ『触覚、ジャン＝リュック・ナンシーに触れる』松葉祥一・榊原達哉・加國尚志訳、青土社、二〇〇六年、三六四頁〕）。「警戒」についての詳細な議論は、本書第3章「タイトルなしに」参照。

訳註

［一］Jean Rousset, *Forme et signification. Essais sur les structures littéraires de Corneille à Claudel* (Paris: José Corti, 1962). この著作のうち二つの章には、以下の日本語訳がある。ジャン・ルーセ「『ボヴァリー夫人』または小説らしからぬ小説」加藤晴久訳、『フローベール全集別巻　フローベール研究』、筑摩書房、一九六八年、二五八―二八〇頁／「『クレーヴの奥方』」山田爵訳、『世界批評大系7――現代の小説論』、筑摩書房、一九七五年、三六〇―三八一頁。またルーセの単著の日本語訳には、以下の二つがある。ジャン・ルーセ『フランスバロック期の文学』伊東廣太・齋藤磯雄・齋藤正直ほか訳、筑摩書房、一九七〇年／『ドン・ファン神話』金光仁三郎訳、審美社、一九八八年。

［二］プラトンについては『テアイテトス』一五五dを参照。「じつにその気持ち、つまり驚き《タウマゼイン》こそが、知を愛する者の気持ちなのだからね。実際、知を求める哲学の始まりは、それ以外にないのだよ」（プラトン『テア

イテトス』田中美知太郎訳、岩波文庫、一九六六年、五〇頁)。また、アリストテレスについては『形而上学』九八二bを参照。「いまと同じく最初の場合にも、ひとは驚き《タウマゼイン》によってこそ哲学を始めたからである」(アリストテレス『形而上学(上)』出隆訳、岩波文庫、一九五九年、二八頁)。

[三] 「警戒《ヴィジランス》(vigilance)」は、「眠らずにいること」「眠らずに警戒しつづけること」を意味するラテン語「ウィギランティア(vigilantia)」を語源とし、とくに「夜警」の意味で用いられる。

[四] デリダが引用している文は以下。G. W. Leibniz, *Discours de métaphysique*, ed. H. Lestienne (Paris: Felix Alcan, 1907), p. 41/G・W・ライプニッツ『形而上学叙説/ライプニッツ‐アルノー往復書簡』橋本由美子監訳、秋保亘・大矢宗太朗訳、平凡社ライブラリー、二〇一三年、三〇頁。

[五] 本訳稿は引用文を原則的に原文から訳出しているので、以降も本訳稿の全体にわたって「英文の変更」には影響されない。

[六] "L'exorbitant. Question de méthode," in *De la grammatologie* (Paris: Minuit, 1967), pp. 226–234/「常軌を逸したもの。方法の問題」『根源の彼方に――グラマトロジーについて(下)』足立和浩訳、現代思潮社、一九七二年、三四―四五頁。

[七] 「家族」の問題は『弔鐘』左欄のヘーゲル論を通じて反復されるので、ここで特定の箇所を挙げて済ませることはできないが、たとえば以下のような箇所を出発点のひとつとすることができるだろう。「家族的な核集団をそこへと還元しうるような純粋意識、超越論的自我など存在しない。ここには、形式的なわれ思うとしての超越論的意識の批判の原理がある(思考するとは、家族の構成要素について言われることである)だけでなく、フッサールの現象学に具体化されるような超越論的意識の批判の原理もある。自我に固有な帰属領域としてのモナド的な意識が存在しないだけでなく、超越論的な間主観性につけ加えられる経験的‐人間学的な通俗的補足物として家族的構造を「還元する」ことが、およそ不可能なのである。超越論的な間主観性をなすもろもろの本質的構造のひとつとして家族的構造が認められないかぎり、それも、ヘーゲルがそこ

に含めているいっさいの潜勢力――記憶、言語、欲望、労働、結婚、財の所有、教育、等々――とともに認められるのでないかぎり、超越論的な間主観性は抽象的・形式的なもの、すなわち構成物・派生物にとどまるだろう」（Jacques Derrida, *Glas* [Paris: Galilée, 1974], p. 154 a）。

〔八〕 エネルギイア（ἐνέργεια）は、一方で、ルーセによる分析を引き受けてデリダ自身がこの言葉を用いている箇所（21〔36／四一―四二〕）では、その直前にいわれる「目的となる平安状態〔une paix finale〕」の「目的〔fin〕」と、ひいては数行前の「欲せられた形式の静止状態である現勢態〔acte〕」とに等しい意味を担っている。であれば――ルーセによって主張されていることではあるが――このような目的到達状態《エンテレケイア》（ἐντελέχεια）のために抹消されねばならないとされる力が、まさに当の状態を意味するエネルギイアと単純に並置されうるかどうかは、なお考えてみる余地があるように思われる。もちろん他方で、すでにデリダによる参照以上にライプニッツの語句を検討している本論考のコンテクストにおいて、エネルギイアは「ウィース・アクティーウァ」に事実上等しく、そのかぎりでまさに問題の力と並置されて然るべき言葉である。この判然たる位置づけの難しさにこそ、力概念の脱臼――すなわち力概念の脱構築――があると言うこともできるだろう。すなわちルーセの議論を支える（はずの）エネルギイア概念が、ここですでにライプニッツ的なエネルギイア概念による転位の可能性を孕んでいることになるだろう。

〔九〕 「『イデーンI』では、この二つの概念〔Bedeutung と Sinn〕のあいだに生じる解離は、フレーゲの場合と同じ機能をもつのではまったくない。この解離がわれわれの読解を確証してくれる。すなわち意味《ベドイトゥング》〔Bedeutung〕は言語的表現――語られた言説――のイデア的意味《サンス》の内容に割り当てられるが、意味《サンス》（意義《ジン》〔Sinn〕）はノエマ的圏域の全体――その非表現的な層にいたるまで――にわたるのである」（Jacques Derrida, *La voix et le phénomène* [Paris: Quadrige/ Presses universitaires de France, 1993], p. 19〔ジャック・デリダ『声と現象』林好雄訳、ちくま学芸文庫、二〇〇五年、四一頁〕）。林好雄訳『声と現象』の訳註23（二五〇―五一頁）および訳註49（二六五―六六頁）も参照。

2 批評としての脱構築

科学にあっては「さまざまな領野へとさまよい出ていく」ことなくして概念上の進歩もないが、そうした進歩や彷徨によって立ちいたるのは、それ以前の理論的布置にとって不可欠であった諸問題に問いかけたり、それらを説明したりすることができなくなってしまうという事態である。実際にはそうした損失は深刻とはみなされない。というのも〔失われてしまった〕「そのような知識をそもそも所有する必要などまったくない」からであり、なぜなら、ある理論に正当に要求されうるただひとつの事柄は「世界の正しい説明、すなわち、それみずからの基本概念によって構成されている諸事実の総体の正しい説明をわれわれに与えること」[1]だからである。科学に当てはまることは原則として文芸批評にも当てはまる。もし「発見の文脈」が「正当化の文脈」と衝突するにいたる[2]ならば、もし読解装置が、以前の諸理論がもはや説明しえない発見を生みだすならば、そしてもし伝統的な批評家の眼からは「新たな見方が、説明すると期待されていることを説明するのか、あるいはそれがさまざまな領野へさまよい出ていくのか」[3]が決定不可能になるのならば、ポール・ファイヤアーベントがアプローチの通約不可能性と呼んだものについて話題にしてよいのかもしれない。だが、この通約不可能性は、幾人かの〔ニュークリティシズム以降の〕最近の批評家たち――いわゆる脱構築批評の論者たち――とその大方の敵対者とのあいだで、彼らがそう信じようと思っているほど確実に打ち立てられるのだろうか。暗黙のうちにウェイン・C・ブースが一元論と多元論（つまりリベラリズム）のあいだに設けたような区別に認められるのは、文学に対する一見したところ相互に排他的なはずのアプローチがともにほとんど同じものだということである。ブースの概念体系が暗黙のうちに証示していること、すなわち、そのいっさいの形態における伝統的でアカデミックな批評と脱構築批評との緊密な親和性、批評家たち（ブースも含まれる）に知られていない通約可能性こそ、本稿が以下で問い質そうとしている明白な諸前提のひとつなのである。しかしながら「批評業界」――そこに接近するにあたっては、批評家が討論で何を表明するかが「討論の国へのパスポート」[4]とみなされるのであり、自身が伝統といかに連続しているのかその信念を表明することではけっしてない――の趨勢において調停の身ぶりを表すことよりむしろ、本稿がとる立場は〔昨今の〕脱構築的な文芸批評に批判的なものであり、その種の文芸批評がそう自任する当のものに見合うことができていないと主張するものである。というのも、もともとはテーマ批評やニュークリティシズムの取り組んでいた問題（それは新しい語彙、ときには流行の語彙によってたんに現代風に装われているにすぎない）が、ポスト構造主義的アプローチ[5]を、そのレトリックにもかかわらず依然として支配しているからである。こうしたレトリックを別にすれば、そこにはガストン・バシュラールが認識論的切断と呼んだものの痕跡はなにもない[6]。こう述べたからといって、そのような判断が、現代の脱構築批評がなしえた貢献を無効にしたり、その貢献を損ねたりするものではけっしてない。それどころか逆に、ニュークリティシズムに引き続いて脱構築批評は、文芸批評のほかならぬ対象であるテクストについての、新たな不可欠の洞察を発展させているのだ。しかし、科学の教科書が、進行中の科学研究の活動の内部で一種の障害物になってしまうように［7］、目下脱構築批評として出てきているものの多くは、新しい研究分野を切り開くことよりもむしろ、伝統的でアカデミックな批評の袋小路を継続させることに寄与している。そうしたわけで、とりわけ脱構築批評をめぐる不快感が広まってしまったのである。しかし、現代の批評家たちの危機的不安が彼らをして「脱構築を超えて」を熱望せしめ、同時に後衛による攻撃をも許すことになってしまうのは、まず第一に、脱構築の概念をめぐる彼らに共通の誤解に由来している。この誤解こそはまさしく、アメリカの批評による脱構築の順応を可能にし、そのうえ脱構築をアカデミックなテマティズムやフォルマリズムに似た機械的行使に変形してしまう当のものなのである。

　脱構築の概念に対する誤解を明らかにしようと試みる前に、いわゆる脱構築批評を導いているいくつかの明証事〔疑問視されないまま自明とみなされている事柄〕を指摘しなければならない［8］。ニュークリティシズムが正当にも示したことは、文芸批評が派生的でもなければ、たんに文学への寄生的な反応でもなく、ひとつの自律的な分野をなしているということであった。そうしたニュークリティシズムに引き続いて、文芸批評を理論《セオリー》とみなすことが流行となってきている。けれども、この文脈で〈理論〉とははたして何を意味するのだろうか――ほとんどの場合ナイーヴで、ときにはその制御不可能で望まれもしない副作用がもたらされさえするような仕方で、哲学的論議の成果を、文学の領域へと滑稽に応用することということでないとしたら？　そのような〈理論〉が基づいているのは、問題視されることもほとんど正当化されることもないこの種の応用であり、そうした哲学素を諸テクストの特定の諸レヴェルに応用することが本当に可能なのかについてのあらゆる問いかけの欠如なのだ。そのような〈理論〉はとりわけ、概念体系の概して直観的な理解に基づいているのであって、水先案内人になっている人類学、言語学、精神分析、とくに哲学といった諸学問のうちに、いかなる厳密な編成もなされぬまま（こうした編成の不在は制度的に動機づけられたものだ）位置づけられている［9］。

この点において理論は、印象主義的アプローチおよび伝統的でアカデミックな批評の弛緩した概念用具となんら異なるものではなく、ほとんどそれ自身の諸前提を反省することがない。事実、もろもろの借り物のツールを文学テクストの分析へと問題視されぬ仕方で応用することがすでに脱構築批評と伝統的批評との親和性を立証している。実際のところ、新しく流行している非‐理論的な立場が、現在の布置のなかで文学や美学や倫理的価値をほかならぬみずからの定義によって救出するにいたるのだと称することで、それ自体が暴力的に理論的であるというだけでない。理論にかんするこの偽善的な無垢が由来するのは、それ自身の諸前提についての盲目と無知であり、そうした前提は、結局のところ、心理学や歴史学や哲学的美学のようなさまざまな文学外の分野に依存しているのである。そうして十九世紀の哲学におけるこれら諸分野の起源は、けっしてそれ自体として認められたり明示化されたりすることがないのだ。

もし脱構築批評が、いくつかの先行する諸学問から借り受けた概念ツールを文学テクストの分析へとこのように十分基礎づけぬまま応用することとは単純に一致しないのだとしても、理論的であると称するその自負は、当の文学テクストの認識的諸相が実際に練り上げられるならば潰えることになる。そうしたアプローチは、どれほど熟達したものであろうと、テクストによって明示的にであれ暗示的にであれ提示された情報と知識とを当然視することによって、あるいはテクストがそれ自身について文字通りに与えている反省を当然視することによって、批評家をブヴァールやペキュシェ［一］のような文学上の登場人物の地位に昇格させる理論的折衷主義を助長するだけでなく、彼をクロード・レヴィ＝ストロースがマルセル・モースに対して差しむけたのと同種の批評に曝すことになるのである。モースは、メラネシア人たちのマナの概念をその土地特有の理論の助力をもって説明しようとしたのであった［10］。

脱構築批評にあって支配的な第二の明証事は、いっさいが文学、テクスト、ないし書かれたもの〔エクリチュール：書字＝書記行為〕だという確信である。近年の批評に見られるこの明証事は、そのアカデミックな先行者たちの純粋に美学的かつ非歴史的な見地をたんに推し進めたにすぎない。あまつさえそれは、異なる種類の言説間の主要な差異と批評的機能とを中立化しぼやけさせることによって伝統的批評の保守的機能を継続させる。いわゆる脱構築批評の場合、この明証事は、デリダのエクリチュールの概念をあらゆる言説形態へと違法に応用することに端を発している。この性急な応用は——つねにそうであるように——フッサール現象学との哲学的論議特有の諸レヴェルを混同することによって可能になるのである。これらのレヴェルは、実際にはデリダ本人によって注意深く区別されている。現代の脱構築批評が用いているようなエクリチュールの〔同様にテクストの、文学の〕概念は概して、あらゆる言説とテクストとに現前するなにものかとしてのエクリチュールの現象学的経験にのみ言及する。ところが『グラマトロジーについて』においてデリダは、エクリチュール（原《アルシ》エクリチュールとしての）を、エクリチュールの口語的な意味と取り違えないよう、はっきりと警告しているのである。実際、原エクリチュールとしてのエクリチュールは「現前という現象学的経験のうちに、そういうものとしては生じえない」。加えて、痕跡の概念は「エクリチュールの現象学とはけっして混同されることがないであろう」（OG 68〔一三九―一四〇〕）［三］。デリダのエクリチュールと痕跡の概念は、感性の（しかしまた理解可能なものについての）あらゆる世俗的領域の現象学的還元を前提としている。感性の諸領域間の区別に、したがって現前のいかなる経験にも先行している（しかし本質としてではない）がゆえに、痕跡ないしエクリチュールは、あらゆる言説において現前的と言われうるようななにものかではない。感性と現前性の領域は「たんに」そこで原エクリチュールとしてのエクリチュールがそういうものとして現われ、みずからを掩蔽することによって現前化する領域に「すぎない」のである。こうして当該の明証事は、現われと現われることの区別や、現われと意味の区別と同じくらい重要な区別（エクリチュールと原エクリチュールの区別）を混同し自覚しないせいで、次のような現象学的把握へと後退することから成り立っている。すなわちエクリチュールは、なにか経験に開かれた経験的媒体において判読可能で可視的かつ有意義なものとしてしか把握されることがないのである。しかしながら、この明証事への批判は（後に示されるように）同時に、文学・テクスト・エクリチュールの外部でなにか触れうるものがあるということを伴うわけでもなければ、こうした外在性の拒絶がテクストの純粋な内在性に絡み取られてしまうということを必ずしも含意するわけでもない。

脱構築批評が前提としている主要な明証事は、その敵対者たちにも共有されているのだが、脱構築の操作についての理解にかかわっている。すでに言及されたこの明証事――理論を優先する仕方と文学の普遍化――は、現代の批評の脱構築理解に結びつく。それらの諸前提によれば、デリダの哲学的な仕事は、文芸批評という局所的な科学とそれが扱う文学とに応用されるべき理論へと転じうるものとなり、その場合、文学と批評の諸カテゴリーが（そしてそれらを支える諸制度が）問いに付されることはないのである。デリダが哲学と行なっている論議を、このように素朴かつ直観的に受容し、批評家が使用するためのいくつかの硬直した装置へと還元してしまうことが表しているのは、この哲学者の仕事の批評的含蓄を法外なまでにぼやけさせ、トーンダウンさせてしまうこと以外のなにものでもない。

脱構築が何でないのかを知るためにはデリダの主要な仕事を一瞥する以上のことはほとんど必要としない以上、確実に脱構築と同一視されえないものを手短かに列挙しておこう。脱構築は、ニヒリズムにも不在の形而上学にも否定神学にも取り違えられるべきものではない。脱構築は、破壊でも解体でもなく、したがって再建や再構築に対置させられたり、それらを必要としたりするようなものでもない。と同時に、脱構築は、最近の批評が積極的な定義によって主張するところのものではない。そこで脱構築は、テクストにおいて議論がみずからの土台を掘り崩しはじめる契機を表すとされており、あるいはロマン・ヤコブソンの詩的機能および美的機能との概念に従えば［三］、コミュニケーションのメッセージとコミュニケーションとの関係がコミュニケーション自体の対象となるような当の関係を表すということになる。最後に脱構築は、テクスト自体の組織化と操作の原理が当のテクストによってみずから開示され標示される働きをも表すとされる。その結果、脱構築批評は、構造分析のきわめて洗練された形式以上のものにはほとんど見えないということになる。それが構造分析から区別されるとしても、意味の相互批判的な原理、すなわち、意味が示差的に規定された諸対立項に依存し、対になった項の照応と相互性に依存することが否定的な仕方で適用される点でなされるにすぎない。つまり意味は、テクストの美的質と同様、この場合にはテクストが構成する諸対立の自己相殺作用から飛び出してくるものとされる〔11〕。こうして互いにパロディ化し正体を暴露し合う二項対立の相互作用が脱構築的と呼ばれるだけではない。さらに混乱は増すのだが、それはしばしば弁証法的とすら言われるのである〔12〕。しかし論理学の観点からすれば、このような相互批判的関係が、脱構築はいうまでもなく、弁証法（否定的であろうとなかろうと）にいたる閾を表すことすらない。

文学とテクストへの否定的な相互批判的アプローチとしての脱構築批評は、したがって、テクストの自己反照性と自律性の観念を主張すると同時にそれに依存している。こうした自己反照性という想定——これはほとんどすべての現代の批評にみられる第三の明証事であるが——は、脱構築の概念を全面的に歪めてしまうのである。

ここであらためて、あまりに性急ないくつかの結論を回避するために、若干の注記が不可欠である。テクストの多かれ少なかれ無限の入れ子状の深淵化〔mise en abyme：紋中紋〕〔四〕の観念による自己反照性は、現代の批評によって想定されるテクストの自律性の観念と同様に、こう言ってよければ外在的アプローチから批判されるべきものではない。そのうえ、そうしたアプローチ――歴史的であれ、心理学的であれ、精神分析的であれ、他のなんであれ――は、テクストの自律性を構成するテクストの自己反照性と自己言及性の想定と完全に両立するのである。にもかかわらず、そうしたテクスト概念に基づく貢献は軽視できるものではない。該博な学識にもかかわらずおよそ文学研究の対象をたえず回避しようと尽力することでしかなかった伝統的アプローチと比較すると、現代の脱構築批評は、文学作品それ自身の多面的な言語密度を探究することができるものとしてみずからを証明してきた。そのうえ、テクストの自己反照性はいかにしても否定されることはできない。テクストの自己反照的な諸層が、テクストの全体をほとんど構成するという点に疑いの余地はない。しかしここで争点になっているのは、まさにほとんどという語、すなわちテクストの反照空間を閉鎖させない地点なのである。

一般に現代の脱構築批評は、テクストのこの自己反照性を、比喩・イメージ・直喩などのようなある種の特定のものに全体化する表徴《エンブレム》に帰着させる。テクストにおける表象〔representation：代理＝再現前〕の本性と身分をけっして問わないことによって、脱構築批評は、全体のこうした表徴がエクリチュールの作用〔書く行為〕を誇張して再記入することとみなしている[13]。こうしたイメージを通して、テクストそれ自体〔ないし書き手〕は「〔テクストの、または〕みずからの生まれつつあるロゴスを構成すること――すなわち書くこと――の行為」[14]を知覚するのだと言われる。これはたしかに事実ではあるが、まさに問題でもある。実際には、こうしたテクストの自己反照性がとりわけ近代の美学的装置として依存しているのは、全体化を施す作者の意識、あるいはテクストの意識ないし無意識についての主張なのであり、これらはいずれも等しく疑いうるものである。かくしてテクスト読解は、まさにテクストのこうした認識機能を、すなわちテクストの産出が上演されるイメージや舞台、およびテクストの自己反照的な諸層を、テクストの総体的な機能の働きのなかに書き込むからには、それらの正当性を説明せねばならなくなるだろう。テクストの自己知覚機能は、知覚と意識一般につきまとっているのと同じアポリアに曝されているがゆえに、また、テクストの産出行為そのものは、全体化する諸表徴（ないし諸概念）によるテクストの反省と同時にはけっして起こらないであろうがゆえに、テクスト機能の総体的把握を目指すという課題が至上命令となるのである。だが（事実上にしろ権利上にしろ）二つの言語——一方におけるエクリチュール、他方におけるその反省——の重なり合いはけっして生じない以上、その重なり合いないし同一性によってテクストが産み出されると想定されるかぎり、テクスト機能を総体的に把握しようとするならば、テクストについてのさらに新たな観念や概念が必要になってしまうであろう。テクストの自律性と自己反照性についての現今の概念は、たんに全体化の原理、いわゆる文学形式の完全性に対するアメリカ流のフォルマリズムの要求を継続させるものにすぎない。自己反照性の観念によって実際に、コンテクスト的統一性の観念を可能にするものの展開が再確認されるのであり、のみならず——そしてこちらのほうがその歴史的重要性をもつのだが——そうした展開が代行されているのである。現代の脱構築批評は、ニュークリティシズムの忠実な子孫として、こうした統一性を可能にするものをヨーロッパのテーマ批評から借り受け、そうした観点から十分有意義な仕方で、テクストの全体化様式を定式化することができたのである[15]。

一方においては形式批評とテーマ批評のあいだの妥協があり、他方においてはコンテクスト的統一性についてのフォルマリズム的観念の形而上学的含蓄が根底的に展開する――そうしたなかで、脱構築批評がその敵対者からの批判（といってもたいていは冴えないが）を免れることを望めるはずがない。しかしながら、いっそう徹底した批判が脱構築批評に対して（のみならず伝統的批評にも影響を及ぼさずにはおかない批判が）なされるべきである。脱構築批評は、反照的諸層とそれが描き出すテクストの認識機能とを、全体としてのテクストと誤って取り違えることによって、テクストの戯れ、すなわち脱構築批評が考慮に入れる最初のもののひとつであったはずのこの戯れを著しく縮減し制限してしまうのである。

したがって、脱構築の再評価にはいくつかの課題が伴うことになる。その擁護論者とその反対論者たちに向き合って脱構築の厳密な意味を回復させる必要性に加えて、脱構築批評は、テクストの概念をその外部に開くべく、フォルマリストとしての過去から関係を断ち、テーマ批評からの遺産を位置づけ直さねばならないであろう。このことは、しかしながら、テクストが実在的で経験的な外部へとただちに結びつけられるべきだということを意味するのではない[16]。たしかに脱構築は、テクストという境域の内部での操作ではけっしてなく、テクストを縁取る限界から、かつ限界においてにおいて生じるものである。しかしそもそもテクストの外部とは、テクストの反照的諸層と認識機能を限界づけるものであって、その経験的で知覚可能な外部ではない。テクストの外部とは、まさしくテクストのなかで自己反省を可能にすると同時にそれを限界づけるものなのである。一方で、テクストの自己反照性を批判するのにその知覚可能かつ経験的な可能的外部のひとつから出発する立場は、依然としてみずからが批判するものに内密のうちに関与している。他方、脱構築批評は、〔テクストの内部と外部という〕これらの対称的に向かい合った二者択一のどちらとも通約しうるものでない。テクストをその全体においてて横断する限界から生じることで脱構築批評が主張し直すのは、文学性そのもの、戯れとしてのテクスト、すなわちチャンスと規則の統一としてのテクストなのである。このパースペクティヴにおいては、テクストのほとんどすべてを構成する反照的諸層のほうが、テクストおよびその戯れとの関係ではほとんど寄生的なものとして現われてくる。要するに、そうした脱構築批評は、テクストのいっさいを再肯定＝断言するのである。自己反照的自律性にもっぱら基礎をおく全体以上に錯綜したテクストの総体的状況は、テクストの自己反照的内部と、当の内部からテクストが生じる外部、すなわちテクストがその核心に秘匿している外部との両方を囲繞しているのだ。テクストの戯れ〔より適当な術語がないため依然として文学と呼ばれる〕へのこのアプローチ[17]は、慣習的な批評とは異なり、まさにこの戯れをそれでもただみずから探究によって制限せざるをえないのだが、それはかえってこの戯れにおける諸変化を制限ないし誘発させようとするそれ自身の欲望を説明するのである（OG 59〔一一九〕）。

かくして以下においては、脱構築のただひとつの相だけが分析されるであろう。実際のところ、た

とえデリダの仕事がほとんどの批評家の論駁を無効にするための十分な素材を皮相な読者に対しても
たらすとしても、この相はとくに、哲学的に訓練されていない読者たちを誤り導いてきたのである。
この相は、哲学者にとってあまりに明白なことだが、脱構築がまず第一に反照＝反省性〔reflexivity〕
と思弁性〔specularity：鏡映性〕の批判を表しているということである。アメリカの現代批評による脱
構築の安易な応用を引き起こしたのは、脱構築のこの本質的特徴についての自覚の欠如である。
脱構築という概念を（フッサールの現象学についての論議の文脈のなかで）はじめて導入したのはジャッ
ク・デリダだが、以下でただちに明らかとなる理由から、『言説、形象』においてジャン＝フランソ
ワ・リオタールがこの概念を使用する仕方を分析することから始めるのが好都合であろう。
リオタールの仕事がデリダのものといかに異なっていようと『言説、形象』は『グラマトロジーに
ついて』と同様の、脱構築のモニュメントである。実際、この書物においてリオタールが展開するフ
ィギュラル〔figural〔形象的なもの〕〕という概念は、書物がほつれるように、その意味がはじめは感覚
的含意であるものから、最終的には差異の概念によって規定されるべく、リビドーによる定義へと
シフトするというものであり、それは脱構築的な操作の結果なのである。フィギュラル概念の産出
は、二つに区別された段階においてなされる［18］。〈ユダヤ－キリスト教的形而上学〉の言説を構造
化するひとつの特定の概念対――エクリチュールと形象《フィギュール》との対立［19］――から出発しながら、リオ
タールはまず、二項対立のなかでこれまで二次的で必然的に下位とみなされていた術語、すなわち形
象に特権を再付与する。この第一段階は、所与の対立項の階層秩序を転倒することによって達成され

る。第二段階は、新しく特権化された術語を再記入することからなる。形象という概念についてのこの再解釈は『言説、形象』において、現象学からの離脱と精神分析への転回を通じて行なわれる。脱構築のこの第二段階——新しく特権化された術語の再記入——は、「言説の他方の側へと移行」しようとする素朴な解決を防ぐために不可欠であり、というのも、そのような解決は、形而上学的諸価値の単純な反転以外のなにものでもないからだ。形象の現象学的な概念についての再解釈は、その射程と視野との拡張を通じて達成される。もはやエクリチュールと言説に単純に対比されなくなったために、形象、より正確にはフィギュラル〔形象的なもの〕は、いまや言説を内部から穿つことになる。

> 形象は外部かつ内部である〔…〕。言語は均質な媒体ではなく、それは〔…〕分節されたもののなかでフィギュラルを内在化するがゆえに分割されている。眼は言葉《パロール》の内部にある、というのも、なにか「見えるもの」の外在化なしに分節言語が存在しないからであり、しかしまた、みずからの表現たる言説の核心には、少なくとも身ぶりの「眼に見える」外在性が存在するからである。[20]

それゆえフィギュラルは、言説を内部からすでに穿っている一方で、言説に対する一種の余白を表す（結果、それは当初の二項対立の非対称的な階層秩序の空間にとらわれたままの形象概念にもはや一致しない）のであり、まさに言説の記入空間そのものになる。言説はこうしてフィギュラルによって取り囲まれ、土台を切り崩されて現われるのである。この（二重の）記入——この術語の意味は、中心的なものが周縁的なものからの派生であるということに厳しく制限されている――は、脱構築の操作に最終的な仕上げを施している。いまここで興味深く思われ、そしてリオタールによる脱構築の使用を経ることで生じた迂回を説明するのは、リオタールが、脱構築のような操作の必然性を、後期モーリス・メルロ＝ポンティが超‐反省（sur-reflexion）と呼んだものに遡って示しているという点である。

超‐反省なる術語と脱構築との関係を論じる前に、ごく簡潔にではあれ、フッサール現象学の問題系を想起することにしよう。世界の起源についての伝統的な問いに答えることは、カントによって一主観にとっての世界の可能性の諸条件にかかわる問いへと再定式化されたのだが、これはフッサールによって斥けられる。実際、フッサールにとって超越論的カテゴリーはいまだ内世界〔世俗〕的カテゴリーにすぎず、世界の絶対的起源を説明するものではないであろう。フッサールは、反対に、世界を括弧に入れることによってエポケーの主観にその絶対的起源を発見する。これは世界を宙吊りにしたのち、自己明証的になる主観、必当然的な仕方で明証的になるような主観である。この主観は、もはや内世界的な対象ではなくなり、心理的主観と超越論的主観の双方から区別されることで、この必当然的な自己明証性を意識の自己凝視から引き出す。この凝視こそ形相的還元を通じてのみ可能になるものにほかならない。この必当然性は、意識内容の同等性や十全性あるいは自己知の確実性を伴うわけではないが、自己自身が十全に意識される一主観の可能性の条件を表す。そしてこの主観はもはや事物ではなく、世界にかんしては絶対的に自由であり、したがって偶然的である[21]。

メルロ＝ポンティは、しかしながら『見えるものと見えないもの』において、世界に対する原初的開放性に問いかけることにより、まさに一主観のこうした必当然性の可能性を疑問に付す。意識の自己凝視――この凝視はいかなる可能的な対象‐関係とも異なり、絶対的な現前的実存として超越論的実存の新たな様態に接近することを可能にするものである――についてのこの問いかけは『見えるものと見えないもの』においては、反照性一般とあらゆる反省哲学に対する批判という形式をとっている。この批判は、まさに反照＝反省の可能性そのものに問いかけるのだ。知覚の問題を問いはじめるやいなや、実際そのような批判は不可避となる。かくしてメルロ＝ポンティは、全科学と（直観的・反照的・弁証法的）哲学がみずからを捧げたままでいる知覚的で前反省的信念（全主観によって共有されるい、、、ひとつの同じ世界における信念）を分析しつつ、他方で、知覚の主体における身体の不透明性、すなわち私と私の凝視の終端で宙吊りにされた事物とのあいだの距たりないし奥行きが、物それ自体についてのあらゆる知覚の可能性の条件を表すのだということを確認するのである。しかしながら、もし不透明性としての私の身体が私のまなざしの空間を開くということが本当ならば、このあらゆる知覚の可能性の条件は自己知覚の不可能性をも伴うことになる。メルロ＝ポンティはここで、触りつつ触られる経験という有名な例を持ち出す。「かりに私の左手が私の右手に触り、そしてふと、触りつつある左手の働きを右手で捉えようとしたとしても、身体の身体自身に対するこの反省は、きまって最後には失敗する。私は右手で左手を感ずるやいなや、それに応じて私は左手で右手に触わることを止めてしまうからである」〔22〕。したがって身体は、知覚に不可欠な奥行きを開くものでありながら、他方で同様に、自己触発と反照的転換が失敗＝流産する空間なのである〔23〕。この不可能性は、あらゆる反照的運動一般に影響を及ぼすことになるだろう。

メルロ＝ポンティによる反照性の批判をあまりに性急に誤解してしまうことを防ぐために、次の事実を強調することはたしかに場違いなことではないだろう。すなわち、このように自己同一性を生みだす反省の無能力を示したとしても、それは、非理性的なものや感覚的なもののために、哲学的思惟の知的世界を犠牲にすることになるわけではない。絶対に理解しておく必要があるが、メルロ＝ポンティにとって「われわれが反省について述べてきた指摘は、けっして非反省的なものないし直接的なものを擁護するために、反省を否認することを目標としたものではない（非反省的なものも直接的なものもわれわれは反省を通して認識するしかないのだ）。問題は、知覚的信憑に反省の代役をさせることではなく、それどころか、両者の関わり合いを包含する全体状況を考慮に入れることである」[24]。反省の運動が依然として不可避であることに疑いの余地はない。すなわち「ある意味でそれは不可欠であり、真理それ自体なのであって、哲学がその運動なしで済ませうるとは考えようもない」。かくして、反省が避けえない誘惑であるだけでなく「たどられねばならぬ道」でもあるならば、問題は違ってくる。反省を構成するパラドックスの光のもとで「問題は、反省の運動が導く思考の世界が本当に自足した、いっさいの疑問を終熄させるような種類の世界なのかどうかにある」。この問いが標的とするのはしたがって、反省の全体状況を説明すべく「ついには反省の着想とは矛盾したものであることが明らかとなるような」[25]諸前提なのである。

メルロ＝ポンティは、いかにして科学と反省哲学が知覚信憑に捧げられたままであるのか、またわれわれの同一の世界の分有を前提とした世界——哲学の場合には精神世界に一致する世界——についての前反省的開放性に捧げられたままであるのかを論証してみせたあと、反省哲学を、世界をやり直すべくそれを解除する企てと定義する〔26〕。世界のこうした再建は「われわれはそこから生じていたのではあるが、しかしすでにそこからずれてしまっている事物の中心」からなされ、すなわち「意味の源泉」として精神と同一の中心からなされるのであり、この再建によって反省は「構成の痕跡への還帰」となる。だが、メルロ＝ポンティは、この根源的構成と反省の事後的契機とのあいだに、「その中心からわれわれにむかってすでに引かれている道」のうえで、中心からすでに戻って来たあとでたどられうるにすぎぬ途上で、起源へとふたたび移り行く諸運動のあいだに、いっさいの内的十全性を妨げるほどに乗り超えがたい相違を発見する。この相違はメルロ＝ポンティにとって、時間的本性をもつものだ。「捉え直しや回復や自己還帰の運動、内的十全性への歩み、すでにしてわれわれ自身であり、また自身の前に事物や世界をくり拡げるとみなされてもいる能産者〔naturans〕と合一せんとする努力そのもの——そうしたことは、まさしくそれらが還帰ないし奪回であるかぎりにおいて、再構成ないし再確立のこれら二次的操作は、原理的に、その内的構成ないし確立の鏡像たりえない。それはたとえば、エトワール広場からノートルダム寺院への道がノートルダム寺院からエトワール広場への道の逆でもあるというようにはいかないのである。反省はいっさいを回復させるにしても、回復の努力としての自己自身は例外であり、またいっさいを明らかにするにしても、それ自身の役割については例外なのだ」。この残余〔reste〕ないし「精神の眼」〔27〕の盲点は知覚信憑、したがって反省を特徴づけており、すなわち「私の眼下にある事物が、それをもっとよく見るために私が近づいているあいだも同一のままでありつづけるという堅固な確信」を特徴づけている。つまり「注意のまなざしが移動して、注意自身から注意を条件づけているものに遡るときでも、そうした確信にしたがって、私が考えているものはつねに同一の事物」[28]でありつづけるのである。かかる残余が反省そのものの行為と一致する。しかしながら、一方における回復と還帰の運動のつねに遅延した運動と、他方における起源の構成とのあいだの時間的差異、両者間の非対称性は、反省の、自己自身とのあらゆる同時性を禁ずるのである。

可能性の諸条件の探究は、原理的に現実の経験のあとに来る。そこから、たとえ経験についでその経験の必須条件を厳密に規定しても、その条件は、あとの祭り《ポストフェストゥム》で発見されたという原初の汚点を拭い去ることはけっしてできないし、その経験を積極的に基礎づけるものになることもできない。だから、その条件が経験に先立つと（超越論的意味においてさえ）言ってはならないのであって、それはその経験に随伴しうるのでなければならない、つまりその条件はその経験の本質的性格を翻訳ないし表現しはするが、経験がそこから生じるような先行の可能性を指し示すものではないと言わねばならないのである。したがって反省哲学は、みずからが露わにした精神のうちに身を置いて、そこから自身の相関物として世界を眺めるというわけにはいかないであろう。反省哲学は、まさにそれが反省であり、還‐帰、奪‐回ないし回復であるというそのゆえに、それは世界の光景のなかですでに働いている構成原理と単純に合致しているなどと自負したり、その光景からはじめて、反省哲学は構成原理がたどってきたであろう道を反対方向に進んだと自負したりするわけにはいかないのだ。しかし、もしそれが真に還帰である、すなわち、その到達点がまた出発点でもあるのだとすれば、反省哲学が余儀なくされていることは、まさに以上のような事態なのである。[29]

構成原理と、遡行的構築としての反省とのあいだのアポリアは、反省哲学にとって存在していない。反省哲学はこの裂け目について「それが文字通り無であるがゆえに」[30] 言うべきことが何もない以上、そうしたあらかじめの排除が哲学そのものを構成しているのにもかかわらず、あるいはまさにそれゆえに、哲学は自己自身にその説明を免除するのである。いまやメルロ＝ポンティにあっては、この無、哲学のこの非‐空間は、文字通り超‐反省《ハイパーリフレクション》の空間になる。超‐反省は、その場合「反省の転換とは違ったもっと根本的な操作」[31] であり、そうした操作は、全体状況を説明すべく、真摯に「実在する世界の発生と反省によって遂行される理念化の発生という二重の問題」を引き受ける。したがって超‐反省は、反省的転換のもろもろのパラドックスと矛盾とを考慮に入れることによって、「哲学の最終的次元におけるより高次の段階となるのではなく、哲学そのものになる」[32] のである。「もうひとつの出発点」として、「全面的反省の哲学」としての超‐反省は、反省の止揚しえぬアンチノミーを見失うことのないようにする課題を引き受け、それと同様にして、この操作にかかわる諸側面（一方では生まの知覚と世界の超越、他方では理念化の世界）に特有な本質を見失うことなく、全体状況と「それが（それ自身を）その光景に導入する諸変化」[33]を説明しうるようにするという課題を引き受けるのである。

『見えるものと見えないもの』においてメルロ＝ポンティは、超‐反省をヘーゲル弁証法から区別している。この区別は、注目すべき数ページでなされているが、そこでメルロ＝ポンティは、なぜ超‐反省が「超‐弁証法」すなわち「総合なき弁証法」[34]であるのかを示している。だが、この超‐反省は、根本的に自己批判的であり、歴史的に与えられた弁証法のいかなる形式をもみずからの範とすることがないのであって、「テーゼとして、一義的な意味で言表される」ことの誘惑に抵抗し、かくして「哲学と呼ばれるもの」[35]になることの誘惑に抵抗するのだが、それでもなお「反省による分裂以前にある存在」[36]の再発見を待望するのである。かかる前反省的存在への欲望が、超‐弁証法を哲学の束縛のうちに保有しつづけている。それはひとつの哲学ではないのだが、メルロ＝ポンティが認めたように、哲学そのものである。それにもかかわらず、超‐反省は、厳密に言っていかなる点で脱構築の操作がもはや哲学的ではないのかを予期するところにまでさしかかっていたのである。

現象学は、志向性を反芻するのに辟易して、メルロ＝ポンティの超‐反省を展開するよう迫られていると感じていたのであるが、この超‐反省は、反省によるつねに遡及的で遅延的な構築を批判することを通じて、すでに哲学言語をめぐる夢想へと立ちいたっていた。『言説、形象』においてリオタールは、哲学言語についてのこの探究を継続しながら、言語についてのメルロ＝ポンティの夢想を、夢の言語への問いかけへと変形させる。反省＝反照の言語的諸条件が究明されるべきならば、こうした課題は必然的となる。メルロ＝ポンティが、反省＝反照は、身体の不透明性と、まなざしの終端で宙吊りにされた対象の超越ないし奥行きに依存するとしたことを想い起こさねばならない。いまや、あらゆる反省＝反照は言語ゲームにおいて生じる以上、リオタールは、言説的反省＝反照を、その働き〔戯れ〕を可能にするものの観点から、すなわちパロールに対立するラングというソシュールの概念[五]の観点から問うことができる。しかし、まさにリオタールが、パロールと言説に特有の否定性（それは指示的超越の空間化であり、絵画の二重化が生じる視覚の奥行きのように反省を可能にするものである）を、ラングに特有の否定性（それは弁別的で示差的な特徴による閉じた体系をなすものであり、諸差異の境界侵犯や主観の自由な戯れを妨げるだけでなく、そうしたレヴェルでのあらゆる反省を禁止する）に結びつけようと試みるとき、彼が見いだすのはみずからがラングとパロールの区別を、したがって言語学そのものを超えてゆかざるをえないのだということである。かくしてリオタールは、メルロ＝ポンティの超－反省の観念をふたたび取り上げつつも、それを「脱構築のかたちで」[37]再定式化することによって「第三の」否定性を措定するのだが、それはしかし、はじめの二つのものの弁証法的同一性なのではない。この「第三の」否定性がフィギュラルであり、それは死の欲動と似ていなくもないのだが、フィギュラルは、パロールの反照的言説と、あらゆる言語行為が自身の可能性の条件として前提しているラングの非反照的体系との双方を沈黙のうちに構成している。そのとき、この「第三の」否定性をもって脱構築が説明しようとするのは、言語外的なものが反照的言説とその示差的特徴の非可変的体系の双方へと闖入する事態なのである。この操作は、反省可能性の言語的かつ非言語的諸条件を解明することにねらいを定めるものにほかならない。

ここでは次の点を指摘しておくことが肝要である。つまり、反照＝反省性が基づいているようにみえるフィギュラルの否定性、すなわち、反照＝反省性の限界を表す否定性は、リオタールにとっては、そのもっとも根底的な形態を、詩〔poetry〕として引き受けるものだということ、しかしながらそれは詩として、マラルメが批判的機能と呼んだものを想定するということである。こうした根底的な詩《ラディカル・ポエトリー》は、文学一般と同一ではないが、すぐれて脱構築された言語である。それが脱構築された言語だというのも、この言語が、もろもろの言語外的な手続きの介入を通じてコミュニケーションを遅延させ、そして詩の魅惑的な力を引き起こす諸イメージの実験室を示す言語であって、そうすることで「退行的屈曲〔regressive flexion〕」〔38〕によってその反省を妨げるものに順応するような言語だからである。

リオタールがフィギュラルと呼んだ、反照＝反省性の記入空間は、デリダにとってのテクストに対応するのである。

以上で確立されたのは、メルロ＝ポンティとリオタールの場合には、いかにして脱構築が、反省という操作を破壊するためではなくそのアンチノミーを説明するために、この操作をみずからの標的としているか、ということであった。ここからはデリダの著作を考察することにしたい。メルロ＝ポンティとリオタールが証示していたのは、前者においては身体の内世界的外在性によって、後者においてはフィギュラルの非内世界的な外在性によって、いかにしていっさいの反省がそれ自身と一致しえなくなるのかということであった。しかしそれでもなお、ひとはあらゆる西洋哲学の基底にあって非本来的な媒介者に頼る必要のないような純粋なる反省という夢を思い描くことができよう。この夢は——とくにフッサール現象学において、一般には哲学において——自己触発の観念というかたちをとり、すなわち、声それ自身である「普遍的意味作用の媒体」（SP 79〔一四九〕）〔六〕における、声の自己‐触発の観念という形をとる。この自己触発の観念は、自己反照性の全形式のマトリックス〔母型〕である。いまや、デリダの脱構築が目論むのはまさに、自己触発の観念を、したがって自己反照性の全形式を解除することなのである。

『声と現象』は、意味作用についてのフッサールの学説、とくに『論理学研究』において展開された学説にかんする批判的試論である。当初フッサールのこの理論に対するデリダの批判は、内在批判〔39〕と呼ばれるものに似てくることになる。たとえば、デリダがフッサールを非難するのは、フッサールが無前提性の必要を主張しながらも、実際にはすぐれて形而上学的前提のうえにみずからの意味作用の理論を構築しているからである。その形而上学的前提とは、すなわち「根源的で自体能与的な明証性、充実した根源的直観に対する意味の現在ないし現前」（SP 5〔一二〕）にほかならない。この種の暗黙裡の矛盾に加えて、デリダは明示的な諸矛盾をも指摘している。この種の矛盾は、フッサール自身によってあからさまに容認されているか、もしくはフッサールの著作における記述の矛盾した諸層を通じて眼に見えるようになっているものだ。一例を挙げれば、こうしたひとつの層が根源的現前のイデアを認識する一方で、他の諸層は現前を「ある構成的価値をもつような還元不可能な非現前」（SP 6〔一五〕）へ結びつけざるをえない、ということがある。さらに、フッサール哲学の内部から生じているこうした混乱と異議申し立てに対して以下に述べる批判的立論を付け加えよう。すなわちデリダは、フッサールが言語のある領域だけを特権化していることを示すのだ――つまりフッサールが「言語の一般的アプリオリの内部での論理的アプリオリの」たんに事実上の叙述によって「あるテロスの品位、ある規範の純粋さ、ある規定の本質」（SP 9〔一九〕）に対して立ち上げる一領域を特権化していることを示し、そうすることによってデリダは、基礎づけの哲学的必要性と哲学の言説的実践とのあいだの矛盾を突きとめるだけでなく、特定の哲学と哲学一般との実際の言説の状態に対して応答責任を負う、まさにある種の倫理－理論的決定そのものを明確化するのである。内在批判という観点からデリダのフッサール批判を分析しつづけるのは、さほど困難なことではあるまい。もちろん内在批判のような概念はすでにして疑問の余地があるものだ。というのも、意味作用についてのフッサールの理論における諸矛盾の検討が引き受けられるのは、哲学の言説のなかでより包括的な論理的整合性を確立するためではなく、それらの矛盾が、哲学を構成する倫理－理論的決定として機能することを証示するためだからだ。しかしそうであるならば、デリダが指摘している諸矛盾とは、たんなる矛盾ではなくて、反対に、哲学的言説一般を構成する矛盾（またとくにフッサール哲学を構成する矛盾）だということになる。そうした矛盾の源泉たる倫理－理論的決定が、現前のイデア、言語の論理化可能性、等々を特権化しているかぎり、これらの矛盾が表しているのは、不可避の矛盾、克服しえぬ矛盾なのである。

脱構築の操作は、懐疑主義ではない立場――これは容易に示されうるだろう〔40〕――から哲学的言説固有にそなわっている矛盾を強調したあとにはじめて、至上命令になるとは言わないまでも、可能となる。『声と現象』においてこのことが生じているのは「意義作用とルプレザンタシオン」と題された第四章である。

できるだけ手短かにこの章の議論を要約してみよう。デリダは、記号と表象一般の本性にかんするフッサールの記述、フッサールのテクストのさまざまな諸層に由来する記述を用いながら、記号が必然的にイデア的な同一性（イデア的というのは、記号が反復されるべきであるならば、それは同じもののままでなければならないからである）として、つねにルプレザンタシオンと三重の関係を含意していることを喚起する。すなわち「Vorstellung〔表象〕つまりイデア性一般の場としてのルプレザンタシオン、Vergegenwärtigung〔再現前〕つまり再生的反復一般の可能性としてのルプレザンタシオン、および、Repräsentation〔代理〕――それぞれの意味する出来事が代替物（シニフィエに対する代替であるとともに、シニフィアンのイデア的形式に対する代替）であるかぎりで――としてのルプレザンタシオン」（SP 50〔九七―九八〕）である。実際、実効的な言説の各々は、すなわち記号を用い、したがって指標的機能をもつあらゆる言説は、ともかくもそれが生じるためにはこれらの表象的諸様相のすべてを働かそうとせねばならない。しかしながら、フッサールは意味作用についての自身の理論において、Vorstellung（イデア性一般の場）の様相を、ひとり内的言説のためにのみ、魂の独白のために、言葉から〔想像された言葉からすら〕独立した沈黙の発話として確保しようとする。こうした言説は、フッサールによれば、実効的で指標的ないかなる言説とも根底的に異なる表現の言説なのだ。フッサールが必要としているのは、イデア性一般を付与するVorstellungの性質が、表現的な内的声の純粋に表象的で想像的な本性を確立しうるようにすることである。だが、フッサールがすでに〔彼のテクストの他の諸層において〕表象のこの特殊な様相を記号一般へと暗黙裡に帰属させてしまっている以上、デリダは、いわゆる実効的で指標的な言説にも等しく想像的で表現的な本性がそなわっていることを正当に引き出すことができる。つまり逆に言えば、表象されたコミュニケーションの言説は、フッサールがそれを実在的コミュニケーションの言説と根底的に峻別しようとしているにもかかわらず、実在的コミュニケーションと同様の実効性において現われてくる。したがって、表現的記号と指標的記号との区別、表象と実在との区別が全面的にぼやけてくるのである。だが、これらの区別は、フッサールの企て全体にとって不可欠なものであって、というのもフッサールの企ては、沈黙した内的声の独白が自己自身に対する無媒介かつ必当然的な自己明証的現前性を達成しうるために、表現からあらゆる指標を排除しようとすることに存するからだ。

銘記せねばならないが、フッサールの哲学的言説の異なる諸層間のもろもろの葛藤は、フッサール哲学の弱点を表しているのではない。それらを、いっそう包括的な論理的整合性を試みることで除外することはできない［41］。そうではなくそうした葛藤は、哲学それ自体の論理-理論的決定の諸機能なのである。かくして、なぜフッサールは自身の区別——哲学的言説の整合性そのものと一致している不整合性――を維持するために彼の言説の整合性を犠牲にしたのだろうかという問い、なぜ「同じ前提から［…］（彼は）これらの帰結を引き出そうとしない」（SP 93〔一八四〕）のかという問いに対しては「倫理-理論的行為が、哲学をそのプラトン的形式において基礎づける決定を甦生させているのだ」（SP 53〔一〇二〕）と答えることができよう。この決定こそ、十全なる現前という主題なのである。それはたしかに「現前と反復を救い」、死をはぐらかし、「記号を還元ないし派生させようという執拗な欲望」（SP 51〔九九〕）であり、それによってフッサールは、哲学のこの明証性の名において（SP 62〔一一八〕）表現と指標という二種類の記号間の差異、表象と実在との差異を維持している。いまや、哲学のこの明証性そのもの（〈現在-いま〉とそれが支配するあらゆるものの特権である明証性、つまり意味と真理）が〈他者〉と死を排除する試みから命脈を得ているのではないかと疑うことが可能になるのは、ただ「哲学以外のどこかに横たわる領域から」のみである。こうした企てが表しているのは「可能ないっさいの安泰と根拠を言説から奪いとる手続き」であるだろう。というのも、そうした安泰はただ、哲学全体を構成する現前というイデアの明証性においてのみ基礎づけることができるからである。

すでに述べたように、フッサールは記号を、自己触発する声の生ける現前から排斥しようとする。実際に記号は、自己触発の純粋な行為にとっては障害であり非本来的な媒介物である。フッサールが試みているのは、記号の独自性と根源性を縮減することだ。このことがこの場合、脱構築が生起するまさにその契機となる。デリダは次のように書いている。

それにしても記号の独自性を抹消する仕方には二通りのものがある〔…〕。ひとは、直観および現前の哲学という古典的な仕方において記号を抹消することができる。この哲学が記号を抹消するのは、それらを派生的なものにすることに拠っている。すなわちその哲学は、記号を単純なる現前に事後的に付け加わる一変様とすることによって、再生とルプレザンタシオンを無効にしてしまう。しかし、まさしくそのような哲学――それは実のところ〈西洋〉の哲学なるもの、〈西洋〉の歴史なるものである――が、記号の概念そのものをこうして構成し確立したのであるから、記号は、まさにその起源からしてすでに、その意味の核心にいたるまで、かかる派生化と抹消への意志によって刻印されている。したがって、記号の独自性と非派生的な性格を古典的形而上学に抗して復元させることは、一見すると逆説的に思われるが、同時に、現前の形而上学の冒険にその歴史と意味の全体が属しているような記号の概念を抹消することになるのである。
（SP 51〔九九―一〇〇〕）

そして数行後にデリダはこう記している。記号の非派生的概念のこうした復元は同時にその伝統的概念の抹消に一致するのであるが、そのような復元をもって「言語にかかわる差異の体系全体が、この同じ脱構築に巻き込まれることになる」（SP 52〔一〇〇―一〇一〕）。ではこのとき、そのような脱構築は何から成っているのか。それは何を達成し、いかなる効果にむけて実行に移されるのか。デリダは、記号の複合的な表象構造を（フッサールの明示的な意図に抗してこの哲学者のさまざまな記述に言及することによって）フッサールがあらゆる指標的関係から解放しようとした内的な表現的言説の概念を壊乱するまでに展開しているが、この表象構造を用いることで、デリダはこれまで派生的とみなされてきた記号の概念にふたたび特権を与えるのである。この再特権化は、しかしながら、記号の概念それ自体の全面的な再定義なしには済まない。かくして脱構築には、二つの運動が特徴的なものとなる。すなわち諸概念対立（表現／指標、現前／記号）の伝統的な階層秩序の転倒〔reversal〕および、新たに特権化された術語の再記入〔reinscription〕である。こうした操作が可能となるのは次の事実による。すなわち、哲学の言説を構成する概念のあらゆる二項対立は「階層秩序によって整序された非対称的空間」を制定しているが、「その空間の閉域が諸力によって横断され、みずからが抑圧する外部によって、みずからの閉域のなかで働きかけられている」（D 5〔六―七〕）［**七**］という事実だ。しかし、これら非等質的な対立空間での下位かつ派生的な術語が、所与の階層秩序を転倒することで再特権化されても、まだ脱構築された術語とは言えない。脱構築のプロセスにおいて新たに再特権化された下位語は、デリダによれば、たんに「否定的で」「無神論的側面（これは不十分だが不可欠な転倒の局面である）」（D 54〔八二〕）であり、「根底的他者性」の「否定的イメージ」（D 33〔四七〕）にすぎない。この根底的〈他者性〉の側面に立ち止まること、際限のない否定神学や不在の形而上学に立ち止まることは、脱構築されるべき二項対立や体系の内在性のうちにとどまることになる。脱構築された術語は、しかしながら、絶対的外在性および〈他者性〉の否定的イメージを再記入した結果として、つまり、デリダが転位〔displacement〕や介入〔intervention〕とも名指している事態の結果として、もはやはじめの二項対立における下位語と同じものではない。脱構築された術語は、実のところ「哲学がみずからの外部にあるものを同化するためには否定的イメージを我有化するのでなければ記入（把握＝包含する）することができない以上、こうした哲学的反省の思弁的効果」（D 33〔四七〕）を逃れているのである。脱構築された術語は、その否定的イメージと同じ名を用いてはいるが、みずからが脱構築している概念対立においてはけっして与えられなかったことであろう。

では、脱構築は何を成し遂げるのか。もし記号と表象の三重構造とが、現前を超えて、沈黙の内的声のイデア的な表現的言説を超えて特権化されるならば、現前の媒体、すなわちVorstellungとしての表象は、記号の可能性そのものに依存することになる。換言すれば、イデア性は、記号の反復的本性なしには存在しない。デリダは次のように書いている。「こうしてわれわれは――フッサールの明白な意図に反して――Vorstellungそのものを――そしてそのものとしてのかぎりで――反復の可能性に依存させ、そしてもっとも単純なるVorstellungつまり現前（Gegenwärtigung〔現在化〕）を再‐現前（Vergegenwärtigung）の可能性に依存させるにいたる。この〈現在の現前〉は、反復から派生してくるのであって、その逆ではない」（SP 52〔一〇二〕）。こうして脱構築された術語、すなわち（現前の派生物としての）記号の伝統的概念の抹消による再記入は、表象の構造、したがって「意味作用の全体」（SP 57〔一〇九〕）、加えて指標的および表現的コミュニケーションの全作用をも支配する「根源的反復構造」と合致する。したがって「根源的反復構造」および「そのもっとも一般的な形式における反復可能性」は、はじめの概念対立の両語を説明し、また二項対立を階層秩序化するもろもろの矛盾と緊張を説明する〔account：考量する〕[42]のに役立つ。実際この根源的構造は、もろもろの差異と対立の体系の基底に横たわる一種の深層構造として機能するのであり、後者の構造を前者の体系と取り違えてはならない。

根源的反復のこうした構造は「現象学的根源性そのもの以上に根源的である」（SP 67〔一二六〕）。しかしながら、根源性の概念は必然的に現前に結びつく以上、この構造は、伝統的な意味で根源的であると呼ばれることはできない。そのうえ、それが明らかにしているのは、奇妙な種類の時間性である。実際、根源的反復構造がイデア性を派生させるのは、反復からであって、これまでは現前から派生すると考えられてきたものからなのであってみれば、この反復構造は、デリダが「代補の奇妙な構造［…］、すなわち、あるひとつの可能性――それがそこに追加されると言われる当のものを、遅ればせに生じさせるひとつの可能性」（SP 89〔一六九〕）と称するものに従っている。かくして現前と不在の両方を説明すること〔accounting〕によって、脱構築の産物としての根源的反復の構造が表しているのは「非‐現前の思惟――これは必ずしも現前の反対でもなければ、否定的不在についての思惟でもなく、ましてや無意識としての非‐現前についての理論でもない――」（SP 63〔一一八〕）なのである。

要約しよう。デリダは、哲学を構成する倫理‐理論的決定――現在の現前のための決定、それは、記号と指標のすべてから（すべての想像された言葉からすらも）自由な沈黙の声、純粋に自己自身を触発する沈黙の声を媒体として達成されるべきものである――を分析することによって、こうした現前のイデアが「根源的反復構造」に、すなわち、現前性の類を可能かつ不可能にする構造に基づいたままでなければならないことを示す。実際「根源的と称せられる現前が、このような〈自己との非‐同一性〉をそなえていないとしたら、反省および再＝現前の可能性がすべての体験の本質に属するということを、どのように説明したらよいのか」。根源的痕跡なしに、すなわち、自己触発の可能性と不可能性を構成する「再帰の襞」や「反復の運動」（SP 67-68〔一二六〕）なしに、いかにして自己反省のようなものが、そもそもありうる（そしてありえない）というのだろうか。

かくして脱構築は、まさにこの事例――「根源的反復構造」や痕跡という脱構築された術語――において「意識、すなわち現前や、あるいはたんにその反対、すなわち不在ないし非意識から出発したのでは考えられえない」（SP 40〔一六七〕）。あるいは別の言い方をすれば、脱構築とは、自己反省を説明すると同時に解除するひとつの操作なのである［43］。

デリダは『声と現象』において、生ける現在の自己現前を構成する差異が、空間的奥行きの非純粋性、すなわち非同一性を痕跡として自己現前へと再導入することをすでに指摘していた。この痕跡は「生ける現在とその外部との内密的関係であり、外在性一般、非自己固有性等への開放性である」（SP 86〔一六〇〕）。そのうえこの痕跡は、自己現前の空間化〔間隔化〕として時間の起源に合致する。そして最後に、意味は、フッサールが認識していたように、つねにすでに「意味作用」の秩序に、すなわち痕跡の「運動」にかかわっているがゆえに、痕跡はまた「原エクリチュール〔archi-écriture〕」

という形において「意味の根源で作動しているのである」（SP 85-86〔一五九〕）。

原-痕跡の根源的構造は、その三つの機能をもって脱構築の射程と意義を規定するものである。この三重構造は同時に、現在の自己現前・時間・意味の可能性（と不可能性）を説明している。脱構築が目指しているのは、こうした三重構造を産出し、それによって〈西洋形而上学〉の根本的かつ相関的な三つのトポス——現前・時間・意味——を構成する外在性を説明可能にすることにほかならない。〈西洋形而上学〉は、これら三つの概念ないし観念が、非媒介的な自己-触発の運動において自己自身を発生させるとみなしている以上、原-痕跡の根源的構造が引き受けるのは、それら三つのものを、原-痕跡の絶対的〈他者〉の非反省的かつ非現前的外在性のなかへと連れ戻し再記入するという役割である。実際、哲学は、すでにその意志に反して知らぬ間に、現前と自己反省性を、構成的価値をもつ還元不可能な非現前へと結びつけざるをえなかったのだ。いかにして原-痕跡がその三重構造をもって、現前・時間・意味を発生させるとともに再記入するこのような機能を引き受けるのかを示すために、ここで『グラマトロジーについて』の第一部で素描された「理論的マトリックス」の分析へと向かうことにしよう。

『グラマトロジーについて』が検討しているのは、ある歴史的時代におけるエクリチュールの「学」の可能性である。その時代は、第一に、言語としてその問題の地平の全体性を規定しつつ、その地平の限界、すなわちその〈他者〉、つまりエクリチュールをすでに指し示している。したがってそれは、第二に、そのなかでエピステーメー〔真知〕としての科学が、いまだロゴスの観念によってフォネー〈音声〉と現前として規定されながらも、逆説的に、エクリチュールの非音声的形態へとみずからをますます開放するという、そうした時代である。第三に、この時代はさらに、自然の全体を指示するなにものかとしての書物という伝統的な観念に対し、自然全体とはまるで異質なもの——エクリチュール、テクスト——によってなされる挑戦を通じて特徴づけられる。エクリチュールやテクストとは、デリダにとってもろもろの記号、すなわちそれを通じてエピステーメーとしての学の他者、言語の他者、自然全体としての書物の他者が、経験的に——経験的にというのは、すなわち、いまだ哲学のうちに書き込まれている思弁的反省の効果を通じて、ということである——顕現してくる記号である。もっぱら根底的〈他者性〉の否定的イメージとして、エクリチュールとテクストは、この不可視の根底的〈他者性〉として現われ、可視的になりうる当のものなのだ。そしてそうしたものとして、つまりテクストおよびエクリチュールとしてこの〈他者性〉は、依然として現象学——たとえばエクリチュールの現象学——の対象でありつづけるだろう。しかしながらグラマトロジーは、エクリチュールとテクストを超えて、当の根底的〈他者性〉に達するであろう。エクリチュールとテクストは或る否定的側面であって、すなわち、そのもとで根底的〈他者性〉が現われることができ、そのものとして現前することになる、そうした否定的な諸側面にすぎない。実際、デリダが『グラマトロジーについて』で明確に強調しているように、グラマトロジー（それは、諸学が基づくあらゆる概念を再記入しながらも、もはや学とは呼ばれえないようなひとつの「学」である）が痕跡ないし原 - 痕跡として指し示すものは「エクリチュールの現象学と混同されることはけっしてないであろう」（OG 68〔一三九—一四〇〕）。

このように『声と現象』において現前と記号との概念の二項対立を脱構築したあとで『グラマトロジーについて』はパロールとエクリチュールの対立を脱構築する。しかし、この脱構築そのものを論じる前に、その予備作業を考察せねばならない。

脱構築は、哲学の経験的に現われている外部から作用するのではない。というのは、そうした外部は、たんに哲学の外部にすぎないからだ。脱構築は、現象学的に存在している外在性（たとえば文学など）からはじめて進行するのではない。なぜなら、その外在性は哲学の真理を表していると主張するであろうが、この真理は、たんに哲学そのものの真理にすぎないからだ。諸概念が属している遺産の土台を掘り崩すためには、反対に、受け継がれてきた諸概念のいっさいを動員しなくてはならない。それらはすべて不可欠なのだ。デリダは次のように述べている。

> 脱構築の運動は、諸構造を外部から破壊するのではない。それは、そうした諸構造のなかに棲まうことによるのでなければ、可能でも効果的でもなく、また正確に標的を定めることもできない。ただしある仕方でそれらのなかに棲まっている。ある仕方でというのは、ひとはつねにそのなかに棲まっているからであり、このことを疑わないときにはなおさらそうだからだ。脱構築の企ては、必然的に内部から作用し、当の諸構造を構造的に借り受ける、すなわち、その諸要素と諸原子を孤立させることができぬまま借り受けることになる。（OG 24〔一三九―一四〇〕）

したがって、退行の危険を防ぐために、脱構築の前に「まず〔…〕分離できるとしばしば素朴に信じられている諸概念と思考の挙措との体系的かつ歴史的な連帯」（ＯＧ 13-14〔三六〕）を証示せねばならない。もちろんここで、パロールとエクリチュールとの概念対立を構成している諸力の領域を、『グラマトロジーについて』がしているように余すところなく記述することは不可能である。そこで〈西洋形而上学〉におけるエクリチュールに対するパロールの特権が、ロゴスとしてのパロールは〈存在〉のロゴスであるという観念に基礎づけられていることを想い起こすにとどめよう。〈西洋〉の伝統において、パロールを（ロゴスとしての）〈存在〉の卓越した媒体にしているのは、次のような「事実」である。すなわち、もろもろの言葉が属しているあるラングにおいて「声は自己のもっとも近くで、シニフィアンの絶対的な抹消としてみずからを聴く〔…〕。この純粋な自己‐触発は、必然的に時間の形式をもち、世界あるいは「実在」のなかでは、いかなる付帯的なシニフィアンをも、自己に固有の自発性にとって無関係ないかなる表現の実体をも、自己の外から借り受けることはない。これは、自己の内側から、にもかかわらず意味される概念として、イデア性ないし普遍性の領域において、自発的に自身を生みだすという、シニフィエの独特な経験である。このような表現実体の非世界的性格が、このイデア性を構成しているのである」（ＯＧ 20〔四九〕）。音声としてのパロール、すなわち声を意味作用の普遍的媒体へと高めるこの自己抹消するシニフィアンと比較してみれば、他のあらゆるシニフィアンは必然的に、外在的・非本来的・感覚的・派生的なものとして現われる。そのうえエクリチュールは、シニフィエ（このシニフィエは、最終審級において、デリダが超越論的シニフィエと呼ぶものにつねに一致する）を意味する口述的シニフィアンの書法的シニフィアンとして理解されているため、意味にとって二重に外在的である。それはもっぱら技術的かつ表象＝代行的な機能だけをもつ。自己抹消的パロールにおいて自己触発するロゴス、したがって妨害し曖昧にするいかなるシニフィアンもなしに生じる意味作用と比較してみれば、あらゆる感覚的記号は、そしてことにエクリチュールは、必然的に下位で二次的なものである。これが、プラトン［44］からフッサールにいたるまでの哲学の言説における、パロールとエクリチュールの関係なのだ。この階層秩序が転倒されたのは、ヘーゲルによって暴力的に批判されたライプニッツの記号学の場合のように若干の例外しかない。

　この対立の脱構築は『グラマトロジーについて』第一部の第二章（「言語学とグラマトロジー」と題されている）で生じている。それに先立って言語学批判がなされる。というのも、言語学がみずからの科学性への要求を、その音韻論的基礎から引き出すからであり、こうして「音声のなかでの音と意味との」（OG 29〔六七〕）分節化された統一に利するようパロールとエクリチュールとの古典的な対立をくり返しているからである。それゆえに、グラマトロジーのようなひとつの「科学」を展開することが可能になるのは、ただ言語学を打破することによってのみなのだ。だが、デリダが指摘しているように、この打破は言語学それ自身によって、すでに実行されているのである。ソシュールが言語学を科学の高み――ロゴスの現代的科学（OG 34〔七五〕）――へと昇格させようとする瞬間にエクリチュールを追い払おうとするその試みを、細心の注意をもって分析したあと、デリダは次のように書く。「ソシュールがエクリチュールをはっきりとは取り扱わず、この主題については括弧を閉じたと感じているそのときにこそ、彼は一般言語学からもはや排除されないばかりか、それを支配し包含するようなグラマトロジー一般の領域を開くのである［…］。そのとき、いまだけっして語られなかったなにものかが、言語の起源としてのエクリチュールそのものにほかならぬなにものかが、ソシュールの言説のなかでみずからを書き込むのである」（OG 43-44〔九〇〕）。こうして、パロールとエクリチュールの伝統的対立は明瞭なものではなくなる。それはソシュール自身のエクリチュールにおいてぼやけてしまうのだ。かくして彼が、言語の内的体系は言語記号の音声的特徴から独立していると主張するときに明らかとなるのは「エクリチュールの暴力が無垢な言語に不意に襲いかからずにはおかない」（OG 37〔七九〕）ということである。実際、パロールそれ自体のなかですでに働いている起源の暴力がなければ、いかにしてエクリチュールはパロールを表象＝代行しうるだろうか。しかし、パロールとエクリチュールの伝統的対立を完全にぼやけさせるのは、とりわけ、ソシュールの有名な〈記号の恣意性のテーゼ〉なのだ。ソシュールは、エクリチュールを言語から排除し、その外的周縁に追いやったが、なぜなら彼は、エクリチュールを、言語現実のたんなる外的反映にすぎぬもの、すなわちたんなる像・表象・比喩形象とみなしたからである。恣意性のテーゼは、デリダによれば「音素と書記素の慣習的関係を首尾よく説明し、［…］（また）そのことによって、それは、文字が前者の「像」たることを禁止する」（OG 45〔九四〕）。しかし、パロールとエクリチュールとの自然的関係（この関係は象徴についても当てはまり、象徴は、それゆえ、言語学から排除される）なしには、エクリチュールはパロールから追い出されえないのである。

パロールとエクリチュールという概念対の区別をこのようにぼやけさせること、ソシュールの『講義』における両立不可能な諸層での戯れによって起こる曖昧化、そうしたことは、ついで、脱構築の操作へと通じている。次のような一節を読むことができる。

いまやわれわれは、エクリチュールが、パロールの「像」でも「象徴」でもないがゆえに、パロールにとってより外在的であり、と同時により内在的でもあり、パロールがすでにそれ自体ひとつのエクリチュールであると考えねばならない。書記性〔graphie〕の概念は、切り込み、彫刻、線描、または文字、それによって意味されるシニフィアンを一般的に指示するシニフィアン、そういったものに結びつけられる前にさえ、〔…〕意味作用のあらゆる体系に共通の可能性として制定された痕跡の審級を含意している。（OG 46〔九七〕）

暗黙裡にデリダは階層秩序を転倒させ、新たに特権化された術語、すなわちエクリチュールを転位させたのである。この転位と再記入は、制定された痕跡の概念に基づいている。エクリチュールは、この文脈では痕跡の概念に、より正確には原‐痕跡の概念に一致している以上、この脱構築が説明しうる事態を理解するために、この概念が含意するものを識別することが必要であろう。

まず次のことが指摘されねばならない。すなわち、脱構築された術語――制定された痕跡――は「これら二つの概念が、それらを明らかに貸し与えている古典的言説から」（OG 46〔九七〕）離脱することを伴っている。一般的に言って、痕跡は不在(の現前)の現前するマークを表す。しかしこれは制定された痕跡ないし原-痕跡がかかわるところのものではない。制定という概念は、それとは対照的に、一般的には文化的ないし歴史的な設置を指している。痕跡は、口語的な意味では、このように制定されるのだが、しかしそれは制定された痕跡ではない。では、原-痕跡ないし制定された痕跡が、口語的意味での痕跡でもたんに制定されたものでもないのならば、それは何なのか。原-痕跡とは、反対に、痕跡の口語的意味を構成する〈不在と現前の差異〉を生みだし、同様に、制定という観念を構成する〈自然と文化の差異〉を生みだす、そうした運動なのである。このことを理解するためには制定された痕跡の主要な機能を解明しなければならない。デリダはこう書いている。「動機づけのない痕跡の一般的構造は、同じの可能性のなかで、他者との関係の構造、時間化の契機、またエクリチュールとしての言語を互いに結びつけており、抽象によることを除けば、それらは分離されることはできない」(OG 47〔九九〕)。過度の単純化の危険を冒しつつ、それでもなお制定された痕跡(または原-痕跡、ないし原エクリチュール)の一般的構造を特徴づける三つの可能性を分離することが必要である。

1 〈他者〉へのあらゆる関係の起源としての原-痕跡

原-痕跡は「還元不可能な不在」(つまり現前の不在ではない不在)ないし「まったき他者」であり、自身をそのものとして、不在(の現前)の現前(のマークないし痕跡)としてのあらゆる指示構造の内部で告知している。この絶対的〈他者〉のそうした顕現（すなわち、絶対的〈他者〉ではないものの内部でそれが出現し、現前的・可触的・可視的なものとなること）は、したがって、その掩蔽と一致する。「他者が自身をそのものとして告知するとき、それはそれ自身の偽装において現われる」（OG 47〔九八〕）。絶対的〈他者〉について現前的となるものは、しかし「その「そのものとして」の偽装」（OG 47〔九八―九九〕）を通じて、それを同じものにおける〈他者〉として保持し不在として指示する現前的マークである。かくして原-痕跡は、そのものとしてみずからの偽装において能動的に顕現しつつ、記号と指示対象の差異、現前と不在の差異を発生させる。それは〈他者〉へのあらゆる関係の可能性を開き、外在性へのあらゆる関係、要するに指示構造一般の可能性を開くのである。もしこの構成が告知と偽装を通じて能動的総合とみなされうるならば、還元不可能な〈他者〉の不在が、それがそのものとして現われる現前を構成しているという事実は、等しくこの構成を受動的総合にするのである。

結論を述べよう。「そこに他者との関係がマークされている」（OG 47〔九八―九九〕）経験的な痕跡ないしマーク、あるいはつねに不在の現前を表している記号は、ある〈他者〉への特定の関係すべてに先立つ「まったき他者」としての原-痕跡に依存する（もしくはそれによってのみ可能になる）。

2　時間性の起源としての原-痕跡

空間と時間の経験の起源として、原-痕跡の織物は「空間と時間の差異が経験の統一において分節化され、そのものとして現われることを可能にする」（OG 65-66〔一三五〕）。原-痕跡はまた、「絶対的過去」（過ぎ去った現前でも、現前的過去でもない過去）として、還元不可能な「つねに-すでに-そこ」として、「感覚的〈現われ〉（apparaissant）〉と、その生きられた〈現われること（apparaître）〉との差異」、現われと現われることとの差異をも開く（OG 66〔一三六〕）。換言しよう。それ自身の掩蔽を通じてみずからをそのものとして告知する絶対的過去は時間として現われるのである。「生ける現在の現前の内部における、あらゆる現前の一般的形式の内部における死せる時間」（OG 68〔一三九〕）、それなしにはいかなる感覚的現われも不可能であるような、時間の感覚的現われの内部における死せる時間、それはしかしながら、時間の生きられた〈現われること〉としての空間なのだ。実際、空間化なしには、時間のような、現在の現前のようないかなる経験をも考えることができなくなる[45]。

結果として、時間のこの空間化（受動的総合）と、時間としての絶対的過去がこうしてそのものとして現われること（能動的総合）は、（時間かつ空間の）時間化の起源を説明する。ソシュールにとってこのことが意味しているのは、原-痕跡は意味作用の可能性を表し、その可能性はつねに分節化に依存しているということである。

3 言語と意味の起源としての原-痕跡

ソシュールは、言語《ラング》（langue）の秩序を、言語の音声的本性からは独立して定義しようと試みる一方で、言語のこの内的体系をエクリチュールと比較している。パロールは「エクリチュールのこの基底から引き出されるし、記されているにせよいないにせよ、言語とはかかる基底なのである」（OG 53〔一〇九〕）。しかし「ひとつの書記〔graphie〕において「記され」「表象され」「形象化され」ていようがいまいが、それ以前に、言語記号はある根源的エクリチュールを含意している」（OG 53〔一〇八〕）。だが、いかにして一方での言語《ラング》と、他方での個別の表記とが、原エクリチュールとしての原-痕跡の一般的可能性に基礎づけられるのだろうか。

　根源的エクリチュールないし原-痕跡は、パロールとエクリチュールの所与の対立において現われてくるような狭い意味でのエクリチュールと取り違えられてはならない。それはまた、パロールがそこからみずからの可能性を引き出してくるエクリチュールの基底と同一視されうるものでもない。原-痕跡ないし原エクリチュールは、これらの差異の可能性の条件なのだ。原エクリチュールは、口語的意味でのパロールとエクリチュールとは異なり、知覚可能な存在を有してはおらず[46]、みずからをそのものとして告知すると同時に、みずからを偽装することによって、パロールでないものにとり憑かれたものとしてのパロールを発生させる。すなわち、ソシュールがエクリチュールと比較した諸差異の体系を発生させるのである。まさに原-痕跡の運動そのものによるパロールとエクリチュールの（真に現象学的な意味における）この能動的総合は、受動的総合をも排除することがない。

　デリダが「刻跡〔empreinte〕の刻印された存在」と呼ぶものは、パロールの聴き取られた存在が聴き取られた音と異なるのと同じく、刻跡それ自体とは異なっているものだが、実際、それを通して、原-痕跡は受動的にパロールを構成する。デリダがこのパロールの受動的総合を展開するのは、ソシュールの還元——この還元は現象学的還元と別のものではない——を考察しているときであり、この還元とはまさに構造言語学の対象そのものを構成するものである。構造言語学の対象は、実際のところ、実在の物質的で物理的な音や聴き取られた音ではなく、その音の聴覚映像であって、音の聴き取られた存在なのである[47]。ソシュールの「心的イメージ」という概念を、心理主義だとするヤコブソンの異論に抗して擁護し、また「最悪にしてもっとも広く流布している混同を避けるための、現われている音と、音の現われとの」フッサール的区別を保つことでデリダが強調するのは、ソシュールの言語学の対象が言語の内的体系、すなわち言語の音声的本性から独立した体系である以上、この言語学は「内世界的〔世俗的〕な科学、［…］心理-物理-音声学」と取り違えられてはならないということである。逆に「心的イメージ」〔他の自然的実在ではない像〕という非-内世界的領域のこの探究、音の聴き取られた存在の探究は、言語形式を特定の言語行為の各々を構成する諸差異の体系として定義することへと通じている。だが、パロールを受動的に構成している示差的諸特徴のこの特有の空間は「すでにひとつの痕跡である」（OG 64-65〔一二八〕）。というのも、この差異体系はただ否定的側面でしかなく、その側面を通じて、原-痕跡はそれが全体として発生させる対立のうちの一方の項として現われることになるからである。

いかにして原-痕跡（あるいは制定された痕跡、原-エクリチュール、差延）が「還元不可能な原-総合として、同一の可能性において時間化と、他者と言語との関係性を開く」（OG 60〔一二〇〕）のかが示されたことで、必然的にかりそめの縮減された素案だが、脱構築の理論的マトリックスについて図示することが可能になる（次頁参照）。水平軸において、このマトリックスが表示しているのは、現前・時間・パロール（伝統的にはこれら三つのすべては、自身を自己‐触発と自己反省を通じて発生させるものと考えられているが）と、それらの標準的派生物である不在・空間・エクリチュールについての、原‐痕跡による能動的総合と受動的総合である。このマトリックスの垂直軸に記入されているのは、原‐痕跡によって同時に実現されたもろもろの構造的可能性である。このマトリックスは、したがって、ひとつの脱構築において同時に看て取られるべきさまざまなレヴェルの配置図となっている。だが、教育的説明の諸理由から、この根源的総合を継起的な諸契機に分解して脱構築の射程を明確化しなければならなかったがゆえに、そのマトリックスはまた、許容しえぬ単純化を犯してもいる。原‐痕跡の概念（また、そのあらゆる非同義的代替物、原‐エクリチュール、差延など）が指示するのは、哲学を基礎づける概念対立に抵抗する（およびそれを説明する）ところのひとつの次元＝命令＝秩序〔order〕なのだ。かくして、原‐痕跡の運動を記述するのに用いられる概念は、たいてい不適当なものである。根源的構成、能動的総合および受動的総合、発生的産出および構造的産出は、いまだ形而上学一般に、とくに超越論的現象学に属している諸術語である。したがって、現前・時間・言語の構成——その構成が露呈させるのは、二項対立に現われる自己言及的術語がそのものとしてみずからの絶対的〈他者〉を表すということだけでなく、その〈他者〉の否定的な像に必然的に依存しているということでもある——を

脱構築の理論的マトリックス

	原-痕跡		形而上学的二項対立の可能性の条件としての				
根源的総合としての	**他者**との全関係の起源は	能動	そのものとしては	**不在**	の	**現前**	として顕現する
		受動	それが	**現前**	を構成するのは	**不在**	としてである
	時間性の起源は	能動		**空間**	の死せる時間を通して	**時間**	の経験として顕現する
		受動	それが	**時間**	を構成するのは	**空間**	としてである
	言語の起源は	能動	そのものとしては	アプリオリな**エクリチュール**としての		**パロール**	として顕現する
		受動	それが	**パロール**の形式であるのは		**エクリチュール**	としてである

説明するためにそうした術語を用いるのは、たんに戦略的なものにすぎない。実際には、この総合は能動的でも受動的でもない。すなわちそれは「ある種の非‐他動詞性を表現する中動態」（SP137）［八］であり、それは決定されぬままにとどまる。同じ理由から、構造の概念は、その対立項（発生的観点）と同様に拒否されてしかるべきである。

脱構築は哲学の諸概念のシステムの可能性の条件を探究するとはいえ、それは、知の可能性の超越論的条件の究明（カント）とも、フッサールの超越論哲学の新版とも取り違えられてはならない［48］。デリダにおける超越論的な問いがまずもって表しているのは、素朴な客観主義、あるいはさらに悪い経験主義へ落ち込むことへの警戒である以上、それは戦略的な問いなのである。原‐痕跡の概念にかんして、デリダは次のように書いている。

痕跡はたんに起源の消失ではない――われわれの維持している言説の内部においては、またわれわれの歩む道に従えば、そのことが意味するのは、起源は消失したのでさえないということ、また起源は非起源、痕跡によって相互的に構成されるのでなければけっして構成されたことはなく、かくして痕跡は起源の起源になるということである。そのときから、痕跡の概念を古典的図式、すなわち痕跡を現前ないし起源の非痕跡から派生させ、痕跡を経験的マークとするような古典的図式から捩じり取るために、ひとはたしかに、根源的痕跡ないしは原‐痕跡について語られなければならない。だが、この概念はその名を破壊していること、そしていっさいが痕跡ととももに始まるのならば、とりわけいかなる根源的痕跡も存在しないということをわれわれは知っている。そこでわれわれは、現象学的還元と、超越論的経験へのフッサール的準拠とを言説のたんなる一契機として位置づけなければならない。（OG 61〔一二三〕）

これらの注意によって、脱構築における若干のあらかじめ必要な諸条件と優先的諸条件が最終的に強調されうる。脱構築と、原-痕跡のような特定の脱構築された術語の産出や一連の相関的な形而上学的二項対立を説明するようになる概念の産出とが、超越論的現象学のもろもろの問いへとたんに還元されえないとしても、それらはまた、たんにこれらの問いと手を切ったと言われることもできない。脱構築は、したがって「まったく異なったもろもろのレヴェル・道程・様式を混同」（OG 62〔一二四〕）せずに区別するために、超越論的現象学についての学識を前提とする。脱構築において自然的経験の領域に対応するものと超越論的経験の領域に対応するものとを厳密に分離しうるということが至上命令となる。というのも、その分離は、いかにしてこの操作が、もはや現象学的還元と超越論的現象学の観点からは説明されえない、還元不可能な非現象学的なものの産出へといたるのかを理解するためになされるからである。最終的な分析において、脱構築とは、事実的ないし領域的経験と、超越論的経験のあいだの概念的差異を説明する操作である［49］。まさにこうした区別にほとんど、あるいはまったく注意を払わないことによって、痕跡、エクリチュール、代補といった諸概念が、文芸批評のような一領域的学問のなかに容易に流入してしまうのだ。そこではこうした概念は、現存し把握可能な諸標記を意味するか、あるいはせいぜいがフッサールが実的〔reell〕（実在的〔real〕および観念的〔ideal〕に対比される）と呼んだ、示差的体系やエクリチュールの現象学的概念を特徴づける諸特性を指し示すのに用いられることになろう。

このことはそのとき、別の問題へといたる。脱構築のマトリックスが示しているのは、いかにして原 - 痕跡が、能動的総合と受動的総合を通じて、一方で現前・時間・パロールを発生させ、他方で不在・空間・エクリチュールを発生させるのかということである。したがって、いかにして時間・パロール・現前（あるいは語・ロゴス・〈神〉）が、つねにすでに、それらの〈他者〉によって穿たれ、汚染＝混交されているのかを示すだけでは、いまだ脱構築ではない。そうした操作は、形而上学の外部へのただの一歩にもいたらない。それは、デリダが言うように「「有限性への回帰」「神の死」等々の新たなモティーフ以上のものではない」し、したがって、否定神学、否定弁証法、否定的思弁性以上のものではない（OG 68〔一三九〕）。脱構築が始まるのはただ、たとえば現前のような術語とその他者たる不在との差異が或る絶対的〈他者〉から説明されるところにおいてのみである。あるいは別の言い方をすれば、脱構築が始まるのは、実在的で経験的に把捉可能な経験を指し示す概念と、超越論的経験を保証する「観念的」で現象的な対立項をなす概念とが、検討中の差異を説明する還元不可能で非現象的な構造によって明らかにされるときなのである。

さらなる混同はまた、もろもろの哲学的区分に対する鈍感さにも由来している。それは脱構築された術語の「身分《ステイタス》」にかかわる。空間化と示差的諸特徴の次元とは、意味作用の（一般には言語と意味の）

起源を表している。だがそれらは、その一般的不可視性と非現前にもかかわらず、いまだ現象的であり、絶対的〈他者〉の否定的イメージを表すにすぎない。したがってもろもろの空白、休止、句切り、間隔等を、つまりはそれなしにはいかなる意味作用もないもろもろの否定的なものを指摘すること、要するに、ある一言説のテクスト性を確立することのみではいまだ脱構築ではない。脱構築がねらいとしているのは、けっして「そのものとしては」現前化しえないが、それ自身を隠蔽せずにただそのものとして現われうるのみというなにものかなのだ。脱構築された術語としてのテクストは、黒い染みが連なってゆく視覚的特徴［50］や、意味作用を形成する一般的に知覚不可能な（しかし構造的には現前した）もろもろの間隔および差異とはけっして同一のものではないだろう［51］。

以上により、われわれは、リオタールが用いた脱構築の概念へと送り返される。『言説、形象』は少なくとも二つの異なる種類の脱構築を証示している以上、ここまでで私が展開してきたことにかんして現われる問いは次のようなものである。いかにしてこの二重の脱構築は可能なのか、そして、いかにこの二つの概念は相互に関係しているのか。脱構築の第一の概念は、リオタールの書物において沈黙裡に作動しており、先ほど練り上げた厳密な意味でのその定義と一致する。この脱構築は、概念のさまざまな代替とレヴェルを通して、差異としてのフィギュラルの展開へといたる。しかし同時にこの概念は、言語外的なものや非言語的なものが——フィギュラルが——言説の示差的かつ構造的な秩序に闖入することを指し示す、脱構築のもうひとつの用法の枠組みとして役立つのである。とはいえフィギュラルが、フィギュラルの三つの可能な分節化にしたがって言語的秩序を脱構築する以上は、三つの異なる種類の侵犯的脱構築の識別が必要になる。(1)形象《フィギュール》-像《イマージ》。これは「シルエットの輪郭」ないしイメージの外形を脱構築する。(2)形象《フィギュール》-形式《フォーム》。これは統一された形式を侵犯し、「全体の統一性に無関心である」。(3)形象《フィギュール》-母型《マトリックス》。これは、幻想的マトリックスの空間そのものを脱構築し、「テクストの空間に属するのと同時に、シナリオの、そして劇場シーンの空間に属している空間、すなわち、エクリチュール、幾何学、表象、それら相互の混合によって脱構築されたあらゆる存在」である。リオタールは、その結果、フィギュラルの最終形態を「差異そのもの」[52]と呼んでいる。こうした特定の侵犯的脱構築の各々は、フィギュラルの介入の特定のレヴェルに相関的だが、いまや、これらのどの侵犯的脱構築も他の脱構築に対する優位を主張することができなくなる。

> いずれの場合も、フィギュラルの現前は無秩序によって否定的に示される。だが、いかなる特権的な無秩序もない。形象的表象空間の脱構築のほうが、抽象な「正しい形式」の脱構築よりも挑発的ではないなどと断定することはできない。芸術作品の批判的な力は、距たり（écart）の効果をもたらす（ここでは形象の）水準よりも、それが基づいている距たりの本性にはるかに由来するのである。[53]

ある特定の脱構築は「言説生成のより深い諸層」[54]に到達するという事実が、そのような脱構築を特権化する口実になりえないのであれば、またそのうえ、言説における非言説的審級の現前そのものが「他の舞台を現前させる」のにいまだ十分でないのであれば、このことが含意するのは、脱構築――これは、ここまでわれわれが理解しているように、言語的言説の侵犯としての脱構築であり、この侵犯は、言語が否認することをひとつの退行として肯定する侵犯である――が、欲望の「ロジック」に結びつくということである。

議論を続ける前に次の点に留意することが肝要である。すなわち、言語を基礎づける否認(Verneinung)と、肯定的休止による言語の脱構築とが、対称的でないということだ。リオタールの言うように「接頭辞 re- によって生みだされる回帰の印象」に注意を払わねばならない。というのも「接頭辞 re- は、帰ってゆくこととはじめて赴くということが、ひとはそのあいだに戻って来なければならないがゆえに同じものではないということを明示している」［55］からである。この二つの運動の非対称性と非思弁性は、批判的な詩作を生みだすが、これらの非対称性と非思弁性は、詩的言語における欲望の非充足から派生してくる。実際、芸術作品が、もろもろの像と形式を生みだす幻想的マトリックスにおいて始まると言われるのであれば、それはまた、その同じマトリックスの非充足(inaccomplissement)をも表さなければならない。というのは、さもなければ、芸術作品は臨床的徴候にとどまることになろうからである。幻想《ファンタスム》は、ただ欲望を充足するためにのみ、シナリオを練り上げることになる。それゆえ、幻想による言語空間の侵犯は、この侵犯がとる形式にとらわれたままであろう。だが、この形式は幻想の形式であるからには必然的に悪しき形式として「少なくとも潜在的には形式の侵犯」[56]でもある。つまり退行〔re-gressive〕衝動としての死の欲動であり、それによって芸術作品における脱構築的退行の形式は、コミュニケーション言語の善き形式の鏡像でしかない同一性と統一性になってしまわずに済むのである。かくして脱構築的休止は、それ自身の形式を侵犯することによって、欲望が特定のシナリオにみずからを固着させ充足させるのを阻止するのである。こうして欲望は批判的な審級となるように促され、それにより、脱構築的休止とそれが侵犯する言語秩序との非対称性を達成するのである。

　詩的言語――そこでは欲望が充足されずに生きたままであり、構成的契機と欠如的契機は互いに鏡のように映し合ったり反照したりすることのない、そのような言語――は、そのとき言わば、幻想と言語秩序の両方を放擲し脱我有化すること（désaisissement）の「表面的」ないし「表層的」光景＝舞台〔scene〕をなしている。しかしリオタールが理解するように、詩的言語が表しているのは、死の欲動のインパクトのもとに、欲望充足を妨げることによって差異と非対称性を回復する言語であり、かつまた、芸術作品において哲学的で病理学的な思弁性と反照性を切り崩す言語である。詩的言語とはしたがって、差異として作動しているフィギュラルを示すのである。それゆえ、少なくとも二つの注意点がある。

　1　脱構築的侵犯の非充足の観念をもって、リオタールは、言語秩序の個々の侵犯のすべてを作動させることでフィギュラルを差異として生みだし、したがって、一巡して厳密な意味での脱構築の定義に戻ってくる。侵犯が欲望充足となるのを妨げられ、したがって、侵犯されたものの否定的な鏡像となることを妨げられる場合にのみ、ひとは脱構築について語りはじめることができるのである。

2　もし詩的言語が批判的言語として一種の「表層的」舞台（それは構造ではない、というのもリオタールは、彼の前提からして、その術語を用いることは拒否しなければならないからだ）を表し、そこでは反照的な対立が互いに異質な差異へと変形されるのだとすれば、それは、言語の示差的秩序に対する個々の必然的に徴候的な侵犯のすべてが説明されうるような舞台として理解されねばならない。詩的言語が表す舞台は、この言語に対して「背を向ける」［57］やいなや、文学性を自己反照性として理解するような、批判的理論および理論的言説一般を生みだしてしまうのである。

たしかに脱構築を自己反照性と同一視する理論は、批判的な問題意識の現状においては——ほとんどすべての人の精神的能力を麻痺させかねない徹底したニヒリズムとしてもっぱら理解されるようなものよりは——伝統的アプローチから精神を解放するためのましな道具であったし、ある程度まで依然としてそうありつづけている。しかしながら、そうした理論的アプローチが、自己反照性の概念を最大限に働かせることによってみずからの哲学的含意を明らかにするのであれば、自己反照性と脱構築のあいだの混同は、むしろいっそう実り多きものになりうる。実際、自己反照性の観念の厳密な適用は、思想の高揚（Erhebung des Gedankens）と概念の労働（Arbeit des Begriffs）［九］にいたるが、そうしたものと脱構築は格闘しているのである。ポール・ド・マンは初期の仕事では脱構築をテクストの自己反照性と等置していたが、彼が依然として脱構築を、自己反照性のアメリカ流の方法論と同一視しつづけているだけでなく、自身の最近の読解を、脱構築的と呼ぶのを控えるようになった——もちろん多少のアイロニーを伴って——ということは驚くにあたらない。

この文脈にあって、『グラマトロジーについて』におけるデリダのルソー解釈に取り組んだド・マンの議論は、ことのほか興味深いものである。ド・マンは「盲目性の修辞学——ジャック・デリダのルソー読解」において「デリダの仕事は、文芸批評の未来の可能性が決定されつつあるひとつの場なのだ」〔58〕ということを認めている。だが、デリダの仕事が文芸批評にとって実り多きものとなるためには、まずはじめに文芸批評自体による批判に曝されなければならない。そういうわけで「盲目性の修辞学」は、デリダのルソー読解——その読解は「代補の構造」の概念の展開にいたるのであるが、この構造によってルソーの言説の多数の「矛盾」が説明されねばならない、しかしド・マンはみずから再検討するなかでこの構造に論及することを怠っている——が「デリダによるルソーの物語」〔59〕にすぎないと非難する。この物語は、ルソーの善き物語に対置される悪しき物語である。しかし、なぜデリダの物語は悪しき物語なのか。デリダは、ルソーの場を〈西洋〉の思考の歴史のうちに規定する過程のなかで「作者ルソー自身をルソーの解釈者へと置きかえてしまっている」と言われており、かくして「ルソー解釈の既存の伝統こそ、ただちに脱構築される必要がある」一方で、「われわれは、ルソーに彼の批評家たちを脱構築してもらう代わりに、デリダに偽ルソーを脱構築してもらったわけだが、まさにそのための洞察を「本当の」ルソーから得ることができただろう」。しかし、善き物語と悪しき物語のあいだのこの区別は、それ自体がド・マン自身の物語に依存しなければならない。この物語とは「ルソーを脱構築する必要などない」というものである。ド・マンの物語は、実のところ、彼が脱構築と文学性の概念を理解するためのひとつの機能であり、この物語によって、脱構築は反照的契機を批評的テクストの不可避の盲目性へともたらすものとして、また文学性の概念はテクストの自己反照性として理解されるのである。というのもルソーのテクストは、文学テクストであって「盲点は存在せず、それはあらゆる瞬間にそれ自身の修辞様式を説明している」［60］からである。作者の意識と無意識のあいだの欺瞞的でアカデミックな区別を迂回しようとする試みのなかで、ド・マンは実際には、自覚と自己制御を文学言語そのものに帰しているのだ。ルソーの言語について、ド・マンはこう書いている。「ルソーの言語の身分を問うための鍵が見いだされうるのはもっぱら、こうした言語が言語としてみずからについてもたらす知のうちにであり、そうしてはじめて言語のカテゴリーが現前のカテゴリーよりも優位するということが主張される――これがまさにデリダのテーゼなのである」［61］。自己反省としての脱構築は、その結果、テクストの自己意識のなかに基礎づけられることになろう。自己意識とは、しかしながら、現前が主観性として理解される近代的様式にすぎない。実際、ド・マンは、一連の認識機能をテクストに帰している。「テクストはテクスト自身の書かれ方を説明するに及んで、同時にこうした説明自体が間接的で比喩的な仕方でなされざるをえない必然性を述べることになる。つまりそれは、みずからが文字通り受け取られることで誤解されるだろうということを知っているのである。テクストはそれ自身の様式の「修辞性」を説明しつつ、それ自身が誤読される必然性をも前提としている。それはみずからが誤解されるであろうということを知りながら、そう主張するのである」。もしド・マンが語の十全な意味において「文学」と呼ぶものが、暗示的にであれ明示的にであれ、それ自身の修辞的様式を意味し、かつそれ自身の誤解をその修辞的本性の相関物、すなわち「修辞性」の相関物として予示するという、いかなるテクストをも指すのであれば、文学性、エクリチュール、テクストは、意識的主観性のモデル、すなわち自己反省＝反照的な現前のモデルにしたがって理解されることになる[62]。その結果、驚くべきことに、ド・マンは、文学テクストを形而上学から保護するものこそはまさに文学テクストのこの自己反照性[63]であると依然として主張することになる。「まさにルソーの言語が文学的であるかぎりで、ルソーはロゴス中心主義的な誤謬から逃れるのだ」[64]。かくして脱構築と自己反照性とは、ド・マンにとって同じものである。そのような結論は、文学性、テクスト性、エクリチュールが、自己意識の観点において考えられているときには不可避のものとなる。しかしエクリチュールは、脱構築の結果、還元不可能な非現象的意味をもつ概念として、あらゆる反照性を脱構築し攪乱するのである。デリダはこう書く。

> エクリチュールは、主体を構成すると同時にその骨組みを脱臼させるのであるから、主体がいかなる意味に解されようと、それとは別のものである。エクリチュールは、主体というカテゴリーのもとではけっして思考されえないだろう。このカテゴリーは、いかに変更されようとも、いかに意識なり無意識なりを装うとも、その歴史の糸全体によって、さまざまな偶然事のもとでも動じることのない現前の実体性へと、自己への関係の現前における固有なものの同一性へと差しむけるであろう。（OG 68-69〔一四〇〕）

反省の転換に内属している諸矛盾を説明するためにデリダが（リオタールも）脱構築を展開してきたのは、まさしく脱構築と自己反省が同一のものではないからである。そのうえ、自己反省、思弁性、自己言及性などといった諸観念は本質的に形而上学的であり、ロゴス中心主義に属している。脱構築は、それとは対照的に、いかにして「深層」構造もしくは「表層」の舞台が自己反省の二つの非対称的な契機を発生させるのかを示すことによって、自己反省のイデオロギー的閉域を穿つ突破口を切り開くのである。

ド・マンは「説得の修辞学（ニーチェ）」において、テクストの自己反照性、したがって文学性についての自己理解をさらに展開している。『盲目と洞察』ですでに示唆されていたように、テクストが自己脱構築する運動は、ここでは本質的にそのトロープ〔文彩＝転義〕レヴェルに基づくものとして述べられる。この方法においてド・マンは、メタファー〔隠喩〕、メトニミー〔換喩〕、シネクドキ〔提喩法〕、メタレプシス〔転説法〕などに基づく多様な脱構築を区別している。一見してただちにこれらの脱構築の各々はいずれも、内在批判の諸操作であるか、もしくはテクストが自己言及する方法を明らかにするかのどちらかであるようにみえる。それらの脱構築は、テクストの諸命題をその暗黙の諸前提に関連づけ、あらゆる言説がみずから批判するものの言語において言説それ自身を批判せざるをえない必然性を指し示す、といった次第である。だが、正確に言えば、脱構築に先立つものとして先述したさまざまな操作についてド・マンが述べるには、それらの操作は「脱構築のプロセスにおける諸契機」を表しており、これらの諸契機によって「修辞学は、精神が考えることのできる遠大な射程をそなえた弁証法的思弁に根拠をもたらすことになるのである」[65]。ならば、テクストについて前提された自律性と自己反照性は、その文学性と同様に、ヘーゲル的概念（Begriff）の生と自己生成へと関連づけられてしまうのだろうか。続く文章が示すように、文学についてのド・マンの概念は、ヘーゲルの弁証法から否定的にのみ引き出されており、否定弁証法のモデルで考えられていることがわかる[66]。「テクストは［…］二つの両立不可能で相互に自己破壊的な観点を可能にしている」[67]。この否定的な思弁性は、疑いもなくテクストのある種の反照的諸層に対応しているが、しかしテクストの総体的状況を説明するものではない。すでに「ニーチェにおける行為と同一性」において、ド・マンが次のように記すとき、彼はテクストの（反照的）全体性とは同一でないテクストの総体についての思弁を許容していた。「そのうえ、脱構築的言説に暗示される、否定から肯定への転倒は、それが否定するものの対称的な反対項にけっして到達することはない［…］。脱構築の否定的な一撃は損なわれれぬままにとどまる。ニーチェ以降（そして実際いかなる「テクスト」以降も）われわれはもはや物事から平和裡に「知ること」を望みえなくなっている」[68]。逆説的にも、トロープの用法と修辞学についてのド・マンの弛まぬ探究こそが、認識的レトリックによって構成されるものとしての、テクストの形而上学的完全性を疑問に付すことによって、知の可能性を切り崩すのである。たとえば「言い訳（『告白』）」を考察してみよう。そこでド・マンが企てているのは、テクストの「形象的次元の脱構築」、すなわち、テクストの全体性を表し「思弁的な対称性」という幻想を生みだすようなテクストの認識的トロープや反照的メタファーの脱構築である。この脱構築は「いかなる欲望からも独立して生じるひとつのプロセス」であり、「無意識的でなく、その遂行においては機械的でシステマティックであるが、その原理においては恣意的であり、文法のようなものである」がゆえに、ド・マンが「いかなる比喩作用＝形象化や意味にも先立つ、言語の絶対的なランダムネス」[69]と呼ぶものを切り開くのである。テクストのこの予示的ないし前形象的な次元——これはド・マンがシェリーの「生の勝利」の読解[70]において示しているような限界である——は「けっしてそのものとして存在するよう許されてはいない」のであるが、この次元において言語やフィクションは「いかなる意味作用からも解放される」のであり、テクストの措定作用としてのこの契機は、アナコルートン〔破格表現〕やパラバシス[71]のような比喩形象を通して触れうるものとなる。両者はともに、諸コード間のもろもろの攪乱や突発的な不連続を開示する。そうしたものとして、予示的ないし前形象的なもののこの次元は、テクストの行為遂行的《パフォーマティヴ》なレトリックに通じており、認識的レトリックはけっしてそれを支配することを望むことができない。実際、テクスト自身の産出プロセスは、認識的レトリックが反省を通してテクストを説明しようとする企ての破綻としてのみテクストのうちに生じる。それはまさしく「行為遂行的なものと認識的なもの」との非対称性であり「離接関係《ディスジャンクション》」[72]なのであって、この非対称性が「言い訳（『告白』）」において、もはやテクストの自己反照性の観念に基づくことのない脱構築の実践を裏書きしているのである。ド・マンは、この観念の背後に控えている哲学的伝統の重みにもかかわらず、この実践をアイロニーと呼んでいる。

「言い訳（『告白』）」においてド・マンは、認識的レトリックがテクストの行為遂行的な機能を汲み尽くすことも支配することもできない（あまつさえ、後者のなかに認識的レトリックが記入されるようにみえる）ということを説明する一方、「メタファーの認識論」においてド・マンが企てているのは、テクストを全体化する審級としての主体のメタファーの脱構築である。ド・マンがそこで示すことによれば、トロープを制御することの不可能性、すなわち「形象的な意味を形象の本義に対置させる二元的モデルの非対称性」［73］による不可能性は、自己反省する主体と語り《ナラティヴ》との解きほぐしえぬ紛糾を含意している。その結果、主体と、テクストにおける主体の認識機能とは、シニフィアンの戯れの外部にもテクストの措定作用の外部にも存在しないのである。もちろんこのことによって、その場合、テクストの概念は、狭義の局所的な考え方と、自己反照的および自己脱構築的な全体性に還元されることを超えてゆくことを余儀なくされる。

だが、テクストのそのような概念とそれが前提する文字通り脱構築的な実践とは、テクストを縁取る境界から生じている。テクストのこの外部——これは、素朴な経験的実在や客観的実在に一致しない外部であり、そうした実在を排除するからといって、テクストの観念的内在性の公準化やエクリチュールの自己言及性の不断の再構成を必ずしも伴うわけではない（D 35〔五二〕）——は、事実、テクストの内部にあって、テクストの深淵状の〔abysmal〕思弁性を限界づけるものである。この無限とテクストの意味作用の有限性とは、その諸限界を、テクストの非反照的な余白に見いだすのである。

原註

［1］Paul Feyerabend, *Against Method* (London: Verso, 1978), pp. 283–284.〔P・K・ファイヤアーベント『方法への挑戦』村上陽一郎・渡辺博訳、新曜社、一九八一年、三七六―三七七頁〕

［2］Ibid., p. 167.〔同書、二二三―二二四頁〕

［3］Ibid., p. 283.〔同書、三七六頁〕

［4］Wayne C. Booth, "Preserving the Exemplar: or, How Not to Dig Our Own Graves," *Critical Inquiry*, vol. 3, no. 2 (1997), p. 420.

［5］最近まで「ポスト構造主義」は、当該の現象についてよりも、権力において、ないしは権力を求めて部門化する精神を露見させる、もっぱらアメリカ的なラベルだった。といっても、われわれがポスト構造主義のようなものがともかく存在するということを受け入れたうえでの話だが。

［6］知覚可能な知識から科学的知識への移行としての認識論的切断の概念は、通常信じられているよりもはるかに複雑な概念であるだけでなく、諸理論間の通約不可能性を概念化するのには役立ちえないものである。私はこのことを他の場所で示すつもりである。

［7］Edward W. Said, *Beginnings* (New York: Basic Books, 1975; Baltimore: Johns Hopkins University Press, 1978), pp. 202–203〔エドワード・W・サイード『始まりの現象――意図と方法』山形和美・小林昌夫訳、法政大学出版局、一九九二年、二八一―二八三頁〕を参照。

［8］私がここでかかわっているのは同時代の批評の明証事であって、少なくとも疑問の余地があるような、文学批評一般の明証事ではない。後者の明証事については次のように主張することができる。すなわち、それらが属しているのは「われわれの概念性の最深かつ最古、そして外見上もっとも自然で非歴史的な層であり、その層はもっとも巧みに批評から逃れるものなのだが、というのも、とりわけそれはそうした批評を支え、養い、形成するものだからであり、つまり、それこそがわれわれの歴史的地盤そのものなのである」(*Of Grammatology*, trans. G. C. Spivak [Baltimore: Johns Hopkins University Press, 1976], pp. 81–82〔ジャック・

デリダ『根源の彼方に――グラマトロジーについて』足立和浩訳、現代思潮社、一九七二年、上巻・一七一頁。〕)。

[9] たとえば、ノースロップ・フライ自身の著書 *Anatomy of Criticism* (Princeton: Princeton University Press, 1973)〔ノースロップ・フライ『批評の解剖』海老根宏・中村健二・出淵博・山内久明訳、法政大学出版局、一九八〇年〕の「論争的序論」を参照。

[10] Claude Levi-Strauss, "Introduction à l'œuvre de Marcel Mauss," in Marcel Mauss, *Sociologie et anthropologie* (Paris: Presses Universitaires de France, 1968).〔クロード・レヴィ＝ストロース「マルセル・モースの業績解題」清水昭俊・菅野盾樹訳、アルク誌『マルセル・モースの世界』みすず書房、一九七四年、もしくは「マルセル・モース論文集への序文」、マルセル・モース『社会学と人類学I』有地亨・伊藤昌司・山口俊夫訳、弘文堂、一九七三年〕

[11] 反脱構築の修辞学が「強力な言語」と呼ぶものを分析するはじめての企てにおいてJ・ヒリス・ミラーが成し遂げていることは、まさにこの自己の土台を掘り崩すこと、つまりテクストが構成する諸対立の自己抹消である（"The Critic as Host," *Critical Inquiry*, vol. 3, no. 2 [1977], p. 442)。たしかに現代の批評家が自己反照的全体としてテクストにアプローチすることは、伝統的批評家を道徳的、政治的、そして宗教的な憤懣で一杯にする。エイブラムス「脱構築の天使〔The Deconstructive Angel〕」(Ibid.)〔M・H・エイブラムス『ポスト構造主義との対話』輪島士郎編訳、平凡社、一九九六年〕やブース「範例の保護――あるいはわれわれの墓穴を掘らない方法〔Preserving the Exemplar: or, How Not to Dig our Graves〕」(Ibid.) のような批評家たちによって用いられている黙示録的な標題は、しかし、彼ら自身のことを言っているのだ。ブースはそのうえ、多元論的（だが限定的）批評家共同体の観点から批評を分析しつつ、脱構築派を優越性――道徳的かつ美的価値のニヒリスティックな破壊の外へ跳躍するであろう優越性――に対する冒瀆的な主張のかどで非難する。ブースは、したがって彼らが「討論の国」(Ibid., pp. 420–423) から要求された開放性をはじめから拒否しているとみなしたうえで、そうした人々を（外国のスパイとして）追放するように要求しているの

である。

[12] 脱構築の本性にかんしてのこのナイーヴな混同に加えて『グラマトロジーについて』においてデリダが見越していたのは、弁証法としての脱構築にかんする哲学者への批判である。「脱構築の企てはつねにある仕方でそれ自身の餌食になる」以上、「同じ住居の別の空間で同じ仕事を始めている者は、熱心に［このことを］決まって指摘するのである。いかなる実行も今日それ以上には広範囲に渡ってはおらず、ひとはその規則を形式化しうるはずである」（OG 24〔五五〕）。われわれはこの点で、非哲学者に共通な、脱構築を弁証法と同一視することの誤謬に注目できよう。脱構築はまさに弁証法に働きかける操作であるがゆえに、この誤解はそれでもやはり脱構築の厳しい窮境を暗示している。脱構築は実際、ヘーゲルが概念の真剣さと労働と呼んだものにおいて弁証法と争うのである。

[13] 脱構築の概念を用いているわけではないが、「批評を読む〔Reading Criticism〕」（*PMLA*, vol. 91, no. 5 [1976]）において、文学言語として批評言語を読解するケアリー・ネルソン〔Cary Nelson〕のアプローチもまた言語の自己言及性の観念に基づいている。ネルソンの分析が言説としての批評の本性について挑発的な洞察をもたらしていることについては疑いの余地がない。しかしとりわけスーザン・ソンタグの批評的仕事についてのネルソンの分析において、このアプローチから導かれるのは、対象とそれから隔てられた〈他者〉とを通じた自己固有化と自己顕在化との終わりなき過程としての批評の定義であり、したがって真にヘーゲル的な仕方における弁証法である以上（pp. 807–808）、これは、いわゆる脱構築批評の諸前提と含蓄についての優れた範例である。

[14] Said, *Beginnings*, p. 237.〔サイード『始まりの現象』三三九頁〕

[15] ここに含まれる主要な批評家は、エーリッヒ・アウエルバッハとジョルジュ・プーレである。各個の書き手の作品に統一の意味を与えるところの、視覚の調和というプーレの概念（たとえば『円環の変貌』第六章「ロマン主義」においてゲーテに割かれた頁を参照。Georges Poulet, *Les metamorphoses du cercle* [Paris: Plon,

1961], pp.159–168〔ジョルジュ・プーレ『円環の変貌』岡三郎訳、国文社、一九七三年、上巻・二一七—二二九頁〕）は、自己言及し自己解釈し自己批評するテクストというアウエルバッハの萌芽的概念（とりわけ Erich Auerbach, *Mimesis* [Princeton: Princeton University Press, 1953], p. 486〔E・アウエルバッハ『ミメーシス』篠田一士・川村二郎訳、ちくま学芸文庫、一九九四年、下巻・三七〇—三七一頁〕）と同様に、フォルマリズムの全体化様式を、テクストの自己反照性に基づくコンテクスト的統一へと変換することを可能にした。

[16] 「安心を与えてくれる外部にエクリチュールを性急に接続しようとして、あるいはいっさいの観念論と手っとり早く縁を切ろうとして、最近のあれこれの理論上の獲得物を無視するようなことがあれば、そのたびになおいっそう間違いなく観念論へと後退することになるだろう」（*Dissemination* [Chicago: University of Chicago Press, 1981], pp. 43–44〔ジャック・デリダ『散種』藤本一勇・郷原佳以・立花史訳、法政大学出版局、二〇一三年、六四頁。以下Dと略記〕）。

[17] D 63-64〔九三—九五頁〕も参照。

[18] 脱構築の二つの段階の区別については、*Positions* (Chicago: University of Chicago Press, 1981), p. 41〔ジャック・デリダ『ポジシオン』高橋允昭訳、青土社、一九九二年増補新版、五九頁以下。以下Pと略記〕を参照。

[19] 『グラマトロジーについて』も参照。そこでデリダが論じているのは、キリスト教が、たとえば神や自然のエクリチュールのような、高度に隠喩的なエクリチュールの概念にのみ特権を与えながらも、他方で、エクリチュールの他のすべての形態を派生的なものとみなしているということである（OG 15〔三九〕）。

[20] Jean-Francors Lyotard, *Discours, figure* (Paris: Klincksieck, 1971), pp. 13–14.〔ジャン＝フランソワ・リオタール『言説、形象（ディスクール、フィギュール）』合田正人・三浦直希訳、法政大学出版局、二〇一一年、九—一〇頁〕

[21] Jean-Francors Lyotard, *Phenomenology*, trans. B. Beakley (Albany: SUNY Press, 1991), p. 50.〔リオタール『現

象学』高橋允昭訳、白水社・文庫クセジュ、一九六五年、三五頁〕

[22] Maurice Merleau-Ponty, *The Visible and the Invisible* (Evanston: Northwestern University Press, 1968), p. 9.〔モーリス・メルロ＝ポンティ『見えるものと見えないもの』滝浦静雄・木田元訳、みすず書房、一九頁〕

[23] Jacques Derrida, *Speech and Phenomena*, trans. D. B. Allison (Evanston: Northwestern University Press, 1973), pp. 78–79〔デリダ『声と現象』高橋允昭訳、理想社、一九七〇年、一四九頁〕も参照。「どんな形の自己‐触発も「固有性」の領域の外部にあるものを経験するか、さもなければ普遍性のいかなる主張も断念するかでなければならない。私が私自身を見るとき、私が限られた範囲で私の身体にまなざしを向けるからであろうと、あるいは鏡の反照によってであろうと、いずれにしても「私固有」の領域の外部にあるものがすでにこの自己‐触発の領域に入り込んでしまっており、その結果、この自己‐触発はもはや純粋ではない。触れる‐触れられるの経験においても、同じ事態が生じている」。

[24] Merleau-Ponty, *The Visible and the Invisible*, p. 35.〔メルロ＝ポンティ『見えるものと見えないもの』五五頁〕

[25] Ibid., pp. 31–32.〔同書、五〇―五二頁〕

[26] すでに明らかになったはずだが、再構築に対して脱構築を語ることは、脱構築を思弁的過程の一契機へ誤って転化させてしまう。

[27] Merleau-Ponty, *The Visible and the Invisible*, p. 33.〔メルロ＝ポンティ『見えるものと見えないもの』五二―五三頁〕

[28] Ibid., p. 37.〔同書、五八頁〕

[29] Ibid., pp. 44–45.〔同書、六八―六九頁〕

[30] Ibid., p. 44.〔同書、六八頁〕

[31] Ibid., p. 38.〔同書、五九頁〕

[32] Ibid., p. 46.〔同書、六九―七〇頁〕

〔33〕Ibid., p. 38.〔同書、五九頁〕

〔34〕Ibid., p. 94.〔同書、一三三頁〕

〔35〕Ibid., p. 92.〔同書、一三〇頁〕

〔36〕Ibid., p. 95.〔同書、一三四頁〕

〔37〕Lyotard, *Discours, figure*, p. 56.〔リオタール『言説、形象』七五頁〕

〔38〕Ibid., p. 60.〔同書、八一頁〕

〔39〕内在批判は、テオドール・W・アドルノが、*Prisms*, trans. Samuel Weber (London: Neville Stearman, 1967)〔『プリズメン』渡辺祐邦・三原弟平訳、ちくま学芸文庫、一九九六年〕において定義したもので、文化ないし言説をそれに固有の理念や概念（Begriff）に抗して標定することから成っている。「知的かつ芸術的な諸現象の内在批判は、それらの形態と意味を分析することを通じて、それらの客観的観念とその見せかけのあいだの矛盾を把握しようとする。それは、その仕事それ自体の整合と不整合とが実存者の構造について表現しているものを名指すのだ」（p. 32〔三一―三二頁〕）。しかし、内在批判のこの観念は「文化の内在性を超越する意識」（p. 29〔三〇頁〕）なしでは存在しないし、それは「精神それ自体の対象性に基礎づけられている」（p. 28〔同頁〕）。このことが保証するのは、内在的な手続きは本質的に弁証法的であること、あるいはより正確に言うと、否定的に弁証法であるということだ。アドルノによれば「内在批判に従えば、成功した仕事とは、客観的諸矛盾を欺瞞的な調和に解消することではなく、諸矛盾を、純粋に妥協なく、そのもっとも内部の構造において具体化することによって、調和の理念を否定的に表現することなのだ」（p. 32〔三二頁〕）。したがって、私がここでデリダにおける内在批判と呼んでいるものを、アドルノのアプローチから区別するのは、その手続きというよりも、むしろそのパースペクティヴを通じてである。

〔40〕というのは、実際、ウェイン・C・ブースが指摘しているように、あらゆる懐疑論者が「全面的懐疑の絶頂点において」示しているのは「概念的懐疑が最悪の事態をもたらしているならば、評価されていた企て

は終わる必要がないこと、〔…〕生命そのものを含むさまざまな企てはいかなる概念的袋小路よりも重要であること、それらはひとたび着手されたならば」理性的なものとして「追求され擁護されうるということ」（"Preserving the Exemplar," p. 412）である。しかしそうしたことはまさしく、これらの倫理的およびプラグマティックな論点の自己明証性が問題含みとなっているように、脱構築において問いに付されている当のものなのだ。ブースの常識と自己明証性の同化、概念的企てを超えた生のプラグマティックへの価値付与は、そのうえ、彼の価値の概念的地位を貶めているわけではない。それは、生命の概念がそうであるように、現前の形而上学に捧げられているのである。

[41] これらの矛盾は、哲学の倫理－理論的決定の不可避の機能であるから、より包括的な論理的統一の観点からのいかなる刷新を試みても、それらの矛盾を統御することはできない。同じ理由から、脱構築はもはやたんなる統御の企てではありえない。

[42] 脱構築は、反省の総体的状況の正当な分析を提出するとはいえ、もろもろの残余なしにこの状況を説明するのではない。もしひとつの説明〔account：勘定＝清算〕が、決算されるべき借方と貸方の記録であるなら、脱構築はまさしく、そうした統御を不可能にする操作なのである。

[43] したがって、なおも自己〔self〕や自立〔auto〕の概念を用いた主張がされるならば（ある程度は不可避であるが）その自己を脱中心化された自己にするいっさいのものが説明されなければならない。

[44] 『散種』所収の「プラトンのパルマケイアー」を参照。

[45] 「空間化（この語が語るのは、空間と時間の分節化であり、時間の空間化と空間の時間化であることに注意）はつねに、知覚されないもの、非現前的なもの、非意識的なものである。そうしたものであるといっても、その表現をなおも非現象学的な仕方で用いることができるとすればである。というのも、ここでわれわれは、現象学の諸限界そのものを通過しているからだ。空間化としての原エクリチュールは、現前の現象学的経験の内部ではそのものとしては生じえない」（OG 68〔一三九〕）。

[46] 原エクリチュールとしての原‐痕跡は「聴覚的であれ視覚的であれ、音声的であれ書記的であれ、いかなる感覚的充実にも依存しない。それは逆に、そうした充実の条件なのである」(OG 62〔一二五〕)。

[47] 「聴覚映像は音の現われの構造であり、この構造は現われている音ではまったくない」し、「聴かれた存在は構造的に現象的なものであり、世界における実在の音の秩序とは根本的に異質な秩序に属している」(OG 63〔一二五―一二六〕)。

[48] デリダは、そうしたありうべき反論に対して『グラマトロジーについて』の第一部を通じて応答している。だが『エドムント・フッサール「幾何学の起源」への序文』においてデリダはすでに、もっとも広範な仕方でこの問いを扱っていた。

[49] こうした仕方で脱構築を定義することは、テクスト、テクスト性、文学性などといった概念と脱構築との関係についての問題を宙吊りにしたまま放置してしまう。この関係は、明白なものでも自明のものでもない。

[50] M・H・エイブラムスは、かくして、パロールに対するエクリチュールの優位とは「読むことにおいて実際に現前する唯一の事物である、白紙の上の黒いマーク」の基本的な指示を「すでに存在するマーク」へと転移させることだと誤解しているのである。このことによって、エイブラムスは、デリダを「書字中心主義〔graphocentrism〕」として――あたかもこうした概念が、すでにその名そのものを破壊してはいないかのように――非難するにいたる("The Deconstructive Angel," pp. 439–440)。エイブラムスは「不遜にも、可視性をエクリチュールの可触的で単純かつ本質的な要素だとみなしているのである」(OG 42〔八八〕)。

[51] 「認識すべきは、この刻跡とこの痕跡の特有な地帯において、そして生きられる経験――それは世界のなかにあるのでも「別の世界」のなかにあるのでもなく、音響的でも光線的でもなく、空間のなかにも時間のなかにもない――の時間化においてこそ、もろもろの差異が諸境位のあいだに現われるということ、あるいはむしろ諸境位を生みだし、それらをそのものとして現出させ、諸テクストを、痕跡の諸連鎖と諸体系を構成するのだということである」(OG 65〔一二八〕)。

[52] Lyotard, *Discours, figure*, pp. 278–279.〔リオタール『言説、形象』四一九頁〕

[53] Ibid., p. 324.〔同書、四九二頁〕

[54] Ibid., p. 326.〔同書、四九五頁〕

[55] Ibid., p. 296.〔同書、四四八頁〕

[56] Ibid., p. 350.〔同書、五三四頁〕

[57] Ibid., p. 387.〔同書、五九一頁〕

[58] Paul de Man, *Blindness and Insight: Essays in the Rhetoric of Contemporary Criticism*, 2nd ed. (Minneapolis: University of Minnesota Press, 1983), p. 111.〔ポール・ド・マン『盲目と洞察』宮﨑裕助・木内久美子訳、月曜社、二〇一二年、一九五頁〕

[59] Ibid., p. 119.〔同書、二〇九頁〕

[60] Ibid., p. 139–140.〔同書、二三六頁〕

[61] Ibid., p. 119.〔同書、二〇八頁〕

[62] Ibid., p. 136.〔同書、二三三頁〕

[63] ド・マンはまた、文学言語のこの自己反照性と自己認識を「文学言語の必然的にアンビヴァレントな本性」(Ibid., p. 136〔二三二頁〕)へと結びつけてもいる。しかし両面性〔ambivalence〕と両義性〔ambiguity〕は、脱構築の前提条件ではない。両義性とは——とデリダは言っている——「それが現前の論理に背きはじめるときでさえ、この論理を要請する」(OG 71〔一四四〕)。メルロ＝ポンティはすでに、両面性を否定主義的思考（サルトルのようなそれ）に特徴的なものとして批判していたが、メルロ＝ポンティによれば、事実それは、腹話術を用いるソフィストたちに固有ななにものかであって、「みずからがテーゼにおいて否定したり肯定したりするものを仮定においてつねに肯定したり否定したりし」ながら「絶対的な矛盾と同一性」のあいだで揺れ動く、そうした思考である（*The Visible and the Invisible*, p. 73〔『見えるものと見えないもの』

一〇六頁〕）。そのうえ同時性〔simultaneity〕の観念はつねに「二つの絶対的現前、現前の二つの点ないし瞬間を一緒に秩序づけるのであり［……かくして］直線的な概念にとどまる」（OG 85〔一七八〕）ものである以上、それは一種の否定的な思弁性と弁証法を培うことになる。

［64］ De Man, *Blindness and Insight*, p. 138〔ド・マン『盲目と洞察』二三五頁〕

［65］ Paul de Man, *Allegories of Reading: Figural Language in Rousseau, Nietzsche, Rilke, and Proust* (New Haven: Yale University Press, 1979), p. 131.〔ポール・ド・マン『読むことのアレゴリー――ルソー、ニーチェ、リルケ、プルーストにおける比喩的言語』土田知則訳、岩波書店、二〇一二年、一六九頁。「説得の修辞学（ニーチェ）」は、同書第六章を指す。〕

［66］ 正確に言うなら、これはアドルノの意味における否定弁証法ではまったくない。アドルノにとって、つまるところ否定弁証法とは歴史的諸理由のために、互いに葛藤し合う対立物を止揚しえぬ弁証法である。それは総合なき弁証法であって、その葛藤を進行させつづけようとする。それは、諸対立物の止揚〔Aufhebung〕も抹消もともに拒否するのである。むしろド・マンの否定弁証法の概念は、弁証法を中立化や相互抹消として（また実際には機知〔Witz〕を構成するものとして）考えるシェリングのロマン主義的解釈へといっそう正確に結びつくものである。

［67］ De Man, *Allegories of Reading*, p. 131.〔ド・マン『読むことのアレゴリー』一七〇頁〕

［68］ Ibid., pp. 125–126.〔同書、一六三頁。なお「ニーチェにおける行為と同一性」は『読むことのアレゴリー』第六章「説得の修辞学（ニーチェ）」の初出時（Paul de Man, “Action and Identity in Nietzsche,” *Yale French Studies*, no. 52 [1975], pp. 16–30）の標題である。〕

［69］ Ibid., pp. 298–299.〔同書、三八六頁。「弁解（『告白』）」は、ルソーを論じた第二部に収められており、『読むことのアレゴリー』の最終章（第一二章）を成す。〕

［70］ Paul de Man, “Shelley Disfigured,” in *The Rhetoric of Romanticism* (New York: Columbia University Press,

1984), pp. 92–123.〔ポール・ド・マン『ロマン主義のレトリック』山形和美・岩坪友子訳、法政大学出版局、一九九八年、一一九―一五六頁〕

〔**71**〕De Man, *Allegories of Reading*, p. 300.〔ド・マン『読むことのアレゴリー』三八八頁〕

〔**72**〕Ibid., pp. 299–300.〔同書、三八七頁〕

〔**73**〕Paul de Man, "The Epistemology of Metaphor," *Critical Inquiry*, vol. 5, no. 1 (1978), p. 28〔in *Aesthetic Ideology* (Minneapolis: University of Minnesota Press, 1996), pp. 48–49／ポール・ド・マン『美学イデオロギー』上野成利訳、平凡社ライブラリー、二〇一三年、一二二頁〕

訳註

〔一〕ブヴァールとペキュシェは、フランスの作家ギュスターヴ・フローベール（Gustave Flaubert, 1821–1880）の未完の長編小説『ブヴァールとペキュシェ』（*Bouvart et Pécuchet*, 1881）の登場人物。多額の遺産で隠遁生活を送る二人が好奇心の赴くまま農業、医学、科学、文学、哲学、政治、宗教等々、さまざまな学問をつまみ食いしては中途半端な知識のせいで滑稽な失敗ばかり犯してしまい、結局は元の筆耕に戻る。日本語訳に、鈴木健郎訳（岩波文庫全三巻、一九五四―五五年）、新庄嘉章訳（『フローベール全集』第5巻、筑摩書房、一九六六年）、菅谷憲興訳（作品社、二〇一九年）。

〔二〕OGは、次の文献の略号とし、丸括弧内にアラビア数字で〔日本語訳は亀甲括弧内に漢数字で〕参照頁を指示する（以下同）。Jacques Derrida, *Of Grammatology*, trans. G. C. Spivak (Baltimore: Johns Hopkins University Press, 1976)／ジャック・デリダ『根源の彼方に――グラマトロジーについて』上巻、足立和浩訳、現代思潮社、一九七二年。

〔三〕ロシアの言語学者ロマン・ヤコブソン（Roman Osipovich Jakobson, 1896–1982）は、コミュニケーションにおける言語の六つの機能を区別したが、そのひとつが「詩的機能」（あるいは美的機能）である。それが示しているのは、言語には、メッセージの内容を伝える道具的・実用的な機能だけではなく、（広義の詩や言語芸術に典型的に見られるように）「メッセージそのものへの志向」により表現言語そのものの価値を際立たせる機能があるということである。「言語学と詩学」（一九六〇年）（ロマン・ヤコブソン『ヤコブソン・セレクション』桑野隆・朝妻恵里子編訳、平凡社ライブラリー、二〇一五年所収）参照。

［四］ あるモティーフ中に、同様のモティーフが入れ子構造で見いだされる表現や手法のこと。劇中劇のように、作品中の作品がみずからを枠づけている作品そのものの構造や主題内容に言及している場合、合わせ鏡のような無限の深淵化《ミザンナビーム》が生ずることになる。紋中紋（手法）、象嵌法とも呼ばれる。参考文献としては以下を参照。リュシアン・デーレンバック『鏡の物語——紋中紋手法とヌーヴォー・ロマン』（一九七七年）野村英夫・松澤和宏訳、ありな書房、一九九六年。梅木達郎「象嵌法あるいは脱構築するテクスト——デレンバッハとデリダ」『東北大学教養部紀要』第五五号、一九九〇年、二三五—二五七頁。

［五］ スイスの言語学者フェルディナン・ド・ソシュール（Ferdinand de Saussure, 1857–1913）の定義によれば、ラング（langue）とは、日本語であれ英語であれ一国語のように、ある言語社会で共有された音声・語彙・文法規則の総体であり、言語の体系的・制度的位相を指す。それに対して、パロール（parole）は、ラングが個々の使用者によって具体的に実現された発語の位相である。他方、デリダは、エクリチュール（書き言葉）との対比でパロールの概念を取り上げることで、ソシュールの音声中心主義を問題化しているが、こちらは、音声言語、話し言葉の意味でのパロールである。デリダ自身も厳密に区別しているように、ソシュールの用いているパロールの二つの意味を混同しないよう注意が必要である。

［六］ SPは、次の文献の、略号とする（以下同）。Jacques Derrida, *Speech and Phenomena*, trans. D. B. Allison (Evanston: Northwestern University Press, 1973)／ジャック・デリダ『声と現象』高橋允昭訳、理想社、一九七〇年。

［七］ 原註［16］の訳者補足で記したように、Dと略記した文献は以下である。Jacques Derrida, *Dissemination*, trans. B. Johnson (Chicago: University of Chicago Press, 1981)／ジャック・デリダ『散種』藤本一勇・郷原佳以・

立花史訳、法政大学出版局、二〇一三年。

〔八〕ジャック・デリダ「差延」『哲学の余白（上）』高橋允昭・藤本一勇訳、法政大学出版局、二〇〇七年、四四頁。

〔九〕いずれもヘーゲルの言い回しを引いている。前者の Erhebung（< erheben：持ち上げる）は弁証法の一契機を指す術語。後者についてはとくに次を参照。「真の思想と学的洞察は、概念の労働においてのみ得られるべきものである」（G・W・F・ヘーゲル『精神現象学（上）』樫山欽四郎訳、平凡社ライブラリー、一九九七年、九二頁）。

3 タイトルなしで

「脱構築」は、いまや間違いなく、アメリカと結びつけられるものとなった。とくにヨーロッパにおいては、それはもっぱらアメリカ的な現象であり産物であるとしばしば見なされているほどである。しかしながら、「脱構築」が一九六〇年代半ばから現在にいたるまでに、メディアにおいてのみならず専門家たちのあいだでも高い知名度を獲得したとはいえ、北米の学界全体のなかで見れば、この現象はきわめて限定的なものであるにすぎず、少数の学者たちのあいだで、またいくぶん隔絶された――政治的には取るに足りない――いくつかのアメリカの大学という環境のなかで終始していた。一般に考えられているところによれば、主として学問的なこの運動は一九六〇年代末におけるフランス思想の輸入――それを新鮮に思った者もいれば嘆かわしく思った者もいた――に端を発しており、それは当初はいくつかの大学のフランス文学科によって、のちには――こちらのほうが重要なのだが――英文学科および比較文学科によって行なわれたものであった。多くの者が脱構築を、学問の伝統のみならずアメリカの価値観とも相容れないものだと考えてきた。これは一例にすぎないが、批評家のカミール・パーリアは脱構築を、道徳の堕落や、頭脳偏重主義や、国家の中核的な活力の喪失と関連づけている（そして彼女の批判はときに、フランスの思想家たちから学界を守るという保護主義の要求へとつながってゆく)。「脱構築」という名――あるいは通称――で呼ばれてきたものははじめから、名目上は、ジャック・デリダの著作と結びつけられていた〔1〕。しかしながら、「脱構築」――「アメリカにおける脱構築」――は、単純にフランス思想に遡源したり還元したりできるようなものではないし、ことさらジャック・デリダの思想に遡源ないし還元できるというわけでもない――déconstructionという古いフランス語を、みずからの初期の著作において、ハイデガーのAbbau〔解体〕ないしDestrucktion〔破壊〕という概念の訳語として用いたのは彼が最初であることはたしかであるけれども〔2〕。さまざまな文学研究者がフランス思想へ向き直ったことの契機が、一九六六年一〇月にジョンズ・ホプキンズ大学で開催された「批評の諸言語と人間諸科学」というシンポジウム〔3〕にあったことは疑いない。このときから、ルイ・アルチュセール、ロラン・バルト、ミシェル・フーコー、そしてジャック・デリダといった名が、それまで文芸批評の正典を支配していた批評家たちの名の影を薄めはじめた。しかし、そこで行なわれたフランス思想――のちにはポスト構造主義やポストモダンといったレッテルが貼られることになる――の受容は、それが遠くから、一定の距離を経て到来したものだったがゆえに起こったことであり、したがって当該の思想家たちのあいだに見られる似通った部分を強調する方向へ進んでいったこともまた事実である。結果としてこの受容は、これらのフランス人思想家たちの思想のあいだに――多くの類似があるとしても――存在する根本的な差異を考慮に入れることを疎かにしてしまった。実のところ、「脱構築」ははじめから、これらすべてのフランス人思想家たちによる新しい批評的アプローチを包括するような総称として用いられていたのである

――たとえ、その用語自体はあるひとりのフランス人哲学者の著作にのみ発見されるものだったとしても。フランスの新しい批評的アプローチであると考えられたものに付された標語としての「脱構築」は、明らかにアメリカ的発明である。このタイトルのもとで進行したフランス思想の大規模な受容と密接に関連しているのは、アメリカにおける「脱構築」という用語の技術論的および方法論的な理解である。テクストを読みそして解釈するための方法という「脱構築」の捉え方も、ニュークリティシズム〔三〕が――文学作品を精読《クロース・リーディング》せよという教えによって――当時まだ持ちつづけていた影響力におおむね由来するのだが、まったくもってアメリカ的である。さらに言えば、確立された信念や概念を脱神秘化するための手続きとして「脱構築」が理解されたこともまた、とりわけアメリカ的な現象である。実際、デリダ自身が指摘したように、魅惑的なもろもろの真理を脱神秘化するための方法と見なされた「脱構築」は、アメリカに現存するさまざまな宗教的伝統――とくに、学界におけるプロテスタント的ないしピューリタン的な神学および倫理観――と、預言者崇拝やメシアニズムや終末論や黙示録といった現象に対するアメリカに特有の感受性とを考慮しないことには理解できない。しかし、「脱構築」への言及が北米の学界におけるある環境のなかで生じた出来事の統一的な意味を示唆するものであるにせよ、なぜ「脱構築」がとくにアメリカ的なものなのかを説明するこれら三つの主な理由が、「脱構築」という現象のすべてを説明しつくしているわけではない〔2〕。問題となっている現象はきわめて多様であり、おそらく要約不可能であり、さらに言えば、それはいまなお進行中であるがゆえに、その総体を概観したりそれを要約したりするような試みを拒んでいる〔3〕。

言うまでもなく、「アメリカにおける脱構築」がデリダの著作と密接に関係しているがゆえに、この主題は彼自身の興味と関心の対象でありつづけていたし、その結果として、インタビューや講演において彼は何度かこの話題を取り上げてもいる。「脱構築」がアメリカにおいていくつかの独自な輪郭をそなえるようになったことは明らかであるがゆえに、デリダは、それがヨーロッパから合衆国へ渡った輸入品などではないと論じ、そしてあるときには、「脱構築とはアメリカである」という仮説を提出する――その後すぐに棄却しているとはいえ――にいたってさえいる[4]。「アメリカにおける脱構築」は輸入品ではなく、「翻訳の冒険」であり転移の「冒険」なのであって、翻訳には歪みが含まれるがゆえに、それをヨーロッパにおける脱構築のなんらかのオリジナルへ還元することは不可能なのだ[5]。ヨーロッパにおける事情と較べると、「アメリカでは、それとは別種のことばかりでなく、それとは異なることまでもが、脱構築に生じた」[6]。デリダは、「それが最初に名づけられたのはヨーロッパにおいてである」ことに議論の余地はないと断言し、ハイデガーの「解体《アブバウ》」や「破壊《デストルクツィオン》」といった概念の「歪んだ翻訳」としてすでにその語を用いていた彼自身の使用例に言及している。しかし――と彼は続ける――このことが意味するのは、「脱構築のオリジナルはアメリカには見いだされない」ということではなく、そういうものが見つかるとすればそれはヨーロッパにおいて、より正確に言えば彼自身の著作においてであるということにすぎない[7]。一九八五年に行なわれた「アメリカにおける脱構築」についてのインタビューのなかでデリダは、「脱構築の受容［彼はここでもみずからの著作について話しているものと思われる］にかんしてはたしかに、肯定的なものも否定的なものも、合衆国が他のどの場所にもまして優勢であった」ことを認めながらも、合衆国で脱構築に生じたことが彼自身の著作から独立した事柄である点を強調している。

脱構築の領域における私自身の著作までもが、非常にしばしば、アメリカでの受容に基づくかたちで受け取られています。つまり合衆国において、たんなる翻訳やヨーロッパからの輸入にはとどまらないなにかが起こったのです。それは合衆国においてまったく新しいオリジナルな局面を迎えたのだと私は思います。[8]

したがって、「時の関節が外れてしまった」〔という一九九三年の講演〕において彼が、「脱構築」というあの名で呼ばれうるものを――すなわち「アメリカにおける脱構築」を――自分と結びつけるように要求したことなど一度もないと述べたのも、驚くべきことではない[9]。さらに重要なことに、一九八五年のインタビューにおいて彼は次のように語っている。

まったく新しくて私とは無縁のことが、「脱構築」という見出しのもとに、脱構築を装いながら存在しているのを目にするものの、私にはそれが脱構築と結びつきうるなんて思いもよらなかった、といったようなことは何度も経験しました。[10]

あるいは次のように。

脱構築のことを英語で読むときには、それは別物になっています。たしかにそれはまったくの別物なのです。そして同時に、アメリカにおける脱構築のさまざまな変容をことごとく説明することは、私には不可能だと思わされます。[11]

これらの発言はもちろん、北米で起こったことへのたんなる不満を意味しているわけではない。もしも「アメリカにおける脱構築」が、ヨーロッパとアメリカとのあいだにおける翻訳および転移の冒険であるのなら、脱構築がアメリカにおいてまとったさまざまな形態がある種の異質さや異種性を孕むのは当然のことである。翻訳の冒険が、それに加えて、あらゆる類いの誤りや逸脱や曲解を伴ってしまう可能性を排除できないのも同様に当然である。しかしこれらの肯定的なただし書きを考慮してもなお、先に引いたインタビューや講演のなかでデリダが表明している、アメリカにおける脱構築の発展に対する当惑は、やはり看過ごせない。彼自身の脱構築にかんする考えと「アメリカにおける脱構築」が共有しているものはその名だけであるかのように見えることはしばしばある。より正確に言えば、彼自身の脱構築にかんする考えと「アメリカにおける脱構築」との違いは、アメリカにおいては「脱構築」という名がひとつのタイトルに、あるいはひとつの見出しになってしまっているという点にあるのである。

ここは、アメリカにおいてこのタイトルのもとに何が起こったのかという歴史を書くための場所でもなければ、「脱構築」がかくも好意的に受容され、同時にかくも激しく攻撃されるという事態——アメリカではずっとこの状況が続いてきた——を可能にした、北米の大学における特定の社会的、制度的、および文化的な諸側面を分析するための場所でもない〔12〕。哲学科が「アメリカにおける脱構築」に加担しなかった理由を探ることもここでの目的ではない〔13〕。しかし、「アメリカにおける脱構築」とデリダ自身の思想とのあいだの対立がいまなお容認されていると言いたいわけでもない。私は、自分の著作のいくつかにおいて、当時の歴史的な文脈——すなわち、合衆国においてデリダはほとんどもっぱら文学科のみによって受容されているという状況——を踏まえつつ、デリダの思想の哲学的な側面を強調することによって、この対立の片棒を担いできた〔とくに本書第2章「批評としての脱構築」を参照〕。この導入的な論考に続くもろもろのインタビュー〔訳者あとがき参照〕においてもある程度、この問題は取り上げられている。しかし、誤解を正すためのこうした試み——かりに、そのようなことが望ましいばかりでなく可能でもあるのだとして——をここで差し控える主な理由は、アメリカにおいて「脱構築」の見出しのもとに起こったことが、たんにヨーロッパにおけるオリジナル——つまり、デリダの著作それ自体——に遡源すれば済むようなものではないという点にある。オリジナルとコピーの区別がそもそものはじめから脱構築の標的のひとつであったという事実は、脱構築の歴史を観念史〔四〕の方法を用いて書くという営みを、その限界において不可能なものとしてしまう。「アメリカにおける脱構築」がみずからの思想から独立していることをデリダが強調したことが正しかったとすれば、代わりに課されるのは、「アメリカにおける脱構築」をそれ自体の権利において自律的な産物として分析するという仕事である。しかし、デリダの思想と「アメリカにおける脱構築」とのあいだの違いをこれ以上探究しない理由としてより重要なのは、デリダの著作とアメリカ流の脱構築との異種性――通約不可能性とまでは言わないにせよ――である。この違いが強調されれば、いま述べたような仕事のまぎれもない生産性が、資格付与《エンタイトルメント》や資格《タイトル》のたんなる否認へと制限されかねない。かりに違いがあるのだとしても、その理由は、「脱構築」の見出しのもとに――とりわけ文学科において――進行中のいかなるものよりもデリダの著作のほうが哲学的であるといったことにのみあるわけではない。それは、デリダのエクリチュール〔著述〕の「パフォーマティヴ」〔五〕な側面が非常に多層化されているがゆえに、その広がりのもつ影響が「アメリカにおける脱構築」に生じたほぼすべてのことを凌駕してしまっているからでもあるのだ。しかしながら、かりに「アメリカにおける脱構築」のタイトルのもとに進行したこととデリダ自身の思想とのあいだの区別をもう気にする必要がないのだとすれば、その理由は、アメリカ流の「脱構築」――そして、少なくともさしあたっては、ここにポール・ド・マンの著作も加えられるだろうし、それはこの文脈においてはたいへん重要なものであった――が一時的な現象だったことが明らかになってしまったからでもある。だが最後に、もうひとつの理由がそこに追加される。たとえ、ある局面においては、こうしたアメリカの現象とそれがデリダの著作に対してもつ関係とを議論することが不可避にして不可欠なのだとしても、時代のこの転機にあっては、別の課題が優先されるべきものとなっている。つまるところ、二〇〇四年一〇月八日のジャック・デリダの死以降において不可欠なのはむしろ、未来について語ること、そして彼の著作がわれわれに何を遺したのかについて考えをめぐらせることにほかならない。

実際、この鷹揚で誠実な友、このカリスマ的で刺激的な師、この才気あふれる独創的な学者の死は、われわれにひとつの課題を課すことになった――いかにして彼の記憶を、責任をもって保ちそして守るかという課題を。彼の思想がわれわれの前に開いた道に沿って考えるならば、この問いは、なによりもまず、思想家としてのジャック・デリダとわれわれとの関係にかかわるものである。他者の死とは、すでに存在している世界――この個人はそのなかで、新参者として、そして新しい始まりとして生まれた――の内部における、たったひとつの、固有の、代替不可能かつ反復不可能な、個別的な生の消失である。しかしかりに、ハンナ・アーレントが考えるように「誕生にそなわる新しい始まりが世界において感じられるのは、新参者がなにかを新たに始める能力を持っているからにほかならない」のだとすれば、その理由は次のことにもあるのではないだろうか。すなわち、それぞれの誕生が新たに始めるものは、たんに世界のなかのもうひとつの新しい――そして単独的な――世界であるというばかりでなく、まさにその世界それ自体の、もうひとつの絶対的な始まりでもあるということに[14]。ひとりの子供が世界の内部に到来することによって、唯一無二の世界のもうひとつの起源が生じるのだとすれば、ひとり他者の死もまた、つねに世界それ自体のひとつの絶対的な終わりであるはずだ。他者が亡くなるということは、たんに世界の内部におけるひとつの単独的な世界の消失であるばかりでなく、亡くなった個人が――ハイデガーの言葉をここで流用することが許されるとすれば

――「世界の世界化」それ自体を停止させるということでもある。つまるところ、各々の他者は、すべてのものの連帯感へと世界を開くもうひとつの絶対的な開け《オープニング》なのであり、それゆえ、ひとりの他者の死は、われわれがある世界を共有できるようにこの他者がもたらした開け《オープニング》の終わりを意味している。それぞれの死によって取り返しのつかないかたちで終わってしまったものとは、彼ないし彼女がわれわれすべてのために単独で開いた〈一なる〉共同世界である。要するにそのときには、ひとつの単独的な世界のみならず、〈一なる〉世界――われわれすべてが共通に持っている世界、ともにある〔being-with〕ための普遍的な開け《オープニング》としての世界、すべての地平にとっての地平とフッサールが呼んだもの――、つまりは〈世界〉それ自体までもが、ひとりの他者の死によって終わりを迎えるのである。デリダはこう記している。

> というのも、そのたびごとに、そのたびごとに単独的に、そのたびごとにかけがえなしに、そのたびごとに無限に、死は、まさしく世界の終わりだからである。それは、世界内の誰かないし何かの終わり、ある生ないしある生者の終わりといった、数ある終わりのうちのひとつにすぎないわけではない。死は、世界内の誰かを終わらせるのでも、数ある世界のうちのひとつを終わらせるのでもない。死は、そのたびごとに算術に抗しながら、唯一無二の世界の絶対的な終わり、各々が唯一無二の世界として開始するものの絶対的な終わり、固有な世界の終わり、すべての固有な生者――それが人間であろうとなかろうと――に対して世界の起源として現れている、ある

いは現れうるもの全体の終わりをそのたびごとにしるしづけるのである。〔15〕

ここから導かれるのは、ひとりの他者の死によって世界を奪われた生存者は、終わりを迎えた単独的で固有な生の記憶のみならず、その他者がもたらした世界全体の絶対的な開け《オープニング》の記憶までをも保ちそして守るという果てしない課題を負わされているということである。ジャック・デリダの記憶を持ちつづけるためにわれわれが求められるのは、他の誰の場合においてもそうであるように、いなくなってしまった彼のことを、彼の固有の世界のことを、さらには彼とともに消失してしまった〈世界〉のことを忘れずにいることにほかならない。彼の遺産に対して忠実であること、そしてそのうえになにかを打ち立てることを可能にすることとは、結局のところ、かくも単独的な彼の思想において真に普遍的であったものを偲びながら、なによりもまずわれわれ自身を——亡くなった思想家を悼むのと同じように——思い出すという課題でもある。

言うまでもなく、思想家としてのデリダの記憶をいかに持ちつづけるかという問いに答えようとするいかなる試みも、彼が遺した遺産とは正確にはどんなものなのかについてよく考えることをわれわれに強いることになる。この問いは、たんに哲学史においてデリダが何を標榜していたかを問うものではない。デリダは哲学史ないし観念史の前提条件をくり返し問うていたとはいえ、デリダの思想に思想史上の、とりわけフッサールから始まる現象学的な思想の歴史上の特定の場所が割り当てられるときが来ることは間違いないだろう。そうした割り当てがどれほど不可避で、そしてどれほど不可欠なのだとしても、いずれ来るそのときは、彼の記憶がもはやわれわれに語りかけなくなり、彼と彼の著作がわれわれに要求するものが正確には何であるのかをわれわれがもはや「聴き取」れなくなるような瞬間でもあるのだろう。彼の遺産に対して忠実でありつづけることは、哲学的な思想の歴史のなかに彼の思想を位置づけようとするすべての努力になにがなんでも反対するということではなく、いかなる安易な割り当てに対しても抵抗するということである。そのために思い出すべきは、彼の著作と教えの眼目が、なによりもまず、いまだ気づかれていない前提条件——たとえそれが哲学史の核心に位置するものだとしても——を検《あらた》めつつ、仮借なき批判的警戒《ヴィジランス》をみずからの聴衆および読者にも強く促す点にこそ存していたことである。彼の著作のすべてが、ハンナ・アーレントが「凍結された思考」と呼ぶもの——すなわち、あらゆるタイプの保証、安全、自明性、想定、前提条件、独断論、信条であり、それが素朴なものか巧まれたものか、主観的なものか客観的なものか、危険なものか善意のものかは関係がない——に対して体系的に問いを投げかけることによってしるしづけられている[16]。常識に対してはおろか哲学の伝統に対しても、そのもっとも明白な証拠へかくも辛抱強く問いを投げかけつづけた者は、デリダのほかには存在しない。そう、私は、仰々しい物言いとなることを怖れずに、いまだかつてデリダほどに妥協なく警戒することのできた哲学者も思想家も存在しないと主張したいのである。概念や観念や言葉の底面を彼ほど入念に探査した思想家も、一言半句をもゆるがせにしないことについて彼ほど厳格であった読者も、いままでいたことはない。この恐るべき用心深さは、デリダの思想の単独性を構成しているばかりでなく、その普遍的な特性のひとつとなっており、したがって——私が思うに——それこそが、われわれが応答しなくてはならないデリダの記憶であり、そうした警戒が表している命令を肯定することによってのみ責任をもって応答しうるデリダの記憶なのである。

ところで、この思想家の記憶に対して忠実であることは、ありうべき「批評《クリティシズム》」を排除するものではない。しかし、われわれはいまや彼の著作に対して批判的な問いを投げかけられるのだとしても、彼のすべての思想にまさしく基準として行き渡っていた警戒、とりわけ「批判《クリティィーク》」にかんする警戒を考慮に入れることなくしては、そのようないかなる批判も無益な行為にしかならない。とはいえ、実際のデリダが警戒に失敗していた事例を表にまとめるような類いの批評は要点を捉えそこなうだろう。なぜなら、思考する主体の有限性を前提とすればそうした失敗の可能性はつねにありうるからであり、のみならず、のちに見るように、そうした失敗の可能性はデリダのテクストが成し遂げようとしたタイプの警戒に構造的に内在しているからでもある[17]。失敗の可能性がなくなってしまうと、こうした警戒は、警戒とさえ呼べないものになってしまうだろう。

それがどれだけ容赦ないものだったとしても、警戒は異議申し立てとは異なる。つまりそれは、ラディカルな問いを発して、吟味ののちに概念、規範、価値観、本質、立場——そしてなによりも真理そのものの価値——を斥けることとは違うのである。真理にかんしてはデリダはむしろ、個別的な真理の要求がいかにしてつねに多層化されたより大きな文脈——それがもつ力の示差的な諸関係は無視できないものであり、当の要求の可能性（および不可能性）はまさしくそれに依存している——のなかに書き込まれてしまっているのかを明らかにしていた。真理の要求を評価するうえでこうした力を考慮に入れることは、けっして真理の必要性を断念することを意味しない。しかし言うまでもなく、真理の要求のなかにこうした力が現れていることを認める言説は、もはや真理と非真理からなる価値観に単純に従うような言説ではない。このことから推論されるのは、デリダの思想に特有の警戒は懐疑論の水準に収まるものではまったくないということである。なぜなら、デリダにおいて問題となっていたほどにまでラディカルに真理の可能性への問いを突きつめられた懐疑論はいまだかつて存在しないのだから。さらに言えば、たとえばフッサールが論じているように、懐疑論（および相対主義）は自己矛盾をきたしている哲学的立場であり、それゆえに、ハイデガーは「「本当の」懐疑論者」はいまだかつて存在したためしはないという言葉を――ブレーズ・パスカルの「いまだかつて完全な懐疑論者というものが実際に存在したためしはない」という一節と呼応させながら――余談として書きつけたのである[18]。哲学者は「今日では、疑いを抱くという、あらゆる疑惑の深淵から最高に意地の悪い横目を使うという義務を負っている」というニーチェの発言を、意識の拡張を企図したものとして理解するなら、デリダの警戒は、ポール・リクールの議論によって疑いの解釈学として知られるようになったものとはなんら共通していないということにもなる[19]。デリダの著作の出発点は――リクールが参照しているマルクスやニーチェやフロイトの著作とは異なり――「意識の全体［が］そもそも「偽りの」意識である」という想定にあったわけではない。警戒は、「幻想や虚偽意識」の「脱神秘化」――すなわち、真の意識と「〈真理〉の新しい王国」とを見据えながら進められる批判的な手続き——という水準に収まるものではない[20]。意識はデリダの思想の地平ではない。むしろデリダにおいて意識は、それと結びつけられているすべての概念と同様に、もはや「使用」されるものではなくただ「言及」される[六]だけの概念である。しかし、警戒がより大きな、あるいはより拡張された意識のためになされるのではないとすれば、そのことが含意するのは、警戒とはたんにまんじりともせず用心しているという主観的な状態のことを指すわけでもなければ、十分に武装した——言うならば、合理性および理性のもろもろの知覚対象によって武装した——主体の意図的な行動ないし操作のことを指すわけでもないということである。実際、警戒とは、主権を有する主体の支配力を武装解除することなくしてはありえないものである。

よく知られているように、現象学的還元の眼目は、経験的ないし自然な態度——事物の存在およびひとつの全体としての自然の存在を素朴に前提としているような態度——を、括弧ないしパーレンのなかに、逆カンマないし引用符のあいだに[七]入れることにある。『現象学の根本問題』という一九一〇年から翌年にかけての講義のなかでフッサールが述べているように、現象学的態度において「われわれは、みずから迫ってきたり、われわれが一時的に遂行していたりするようなあらゆる経験的作用を、いわば括弧[*Klammern*]に入れるのであり、その作用がさも当然のように呈示する〈存在〉を、われわれはもはや受け取ることはないのである」[21]。ほかにも、『イデーン』(一九一三年)では彼はこう記している。

われわれは、われわれが採用したテーゼ［すなわち、世界の〈存在〉を前提に据えるというテーゼ］を放棄しているわけではないし、［…］それ自体としてあるがままのわれわれの確信になんらかの変更を加えているわけでもない。しかもそれでいて、そのテーゼはある修正を被《こうむ》る——すなわち、そのテーゼがそれ自体としてはありのままの状態にある一方で、われわれはそれをいわば「作用の外に」置き、「それを遮断」し、「それを括弧に入れる」のである。［22］

現象学的還元に特有の「本質的態度」（Wesenseinstellung）の究極的な目的は、「現象学的区別〔distinctio phaenomenologico〕」をむきだしの状態にすることにあり、別の言葉でいえば、純粋な自体所与性〔self-givenness：それ自体で与えられていること〕のもとにあるもろもろの本質——それらは、根本的ないし超越論的なもろもろの働きとして、ある領域の諸要素を、続いて多様な領域の諸要素を、そして最後にはすべての地平の地平としての世界の諸要素を秩序立てる役目を果たす——を露呈させることにある［23］。デリダは、フッサールの「括弧入れ〔Einklammerung〕」や、ハイデガーが「存在」という語に×印を重ねていたことをくり返し強調したが、それればかりではない。彼の思想およびエクリチュールを際立たせているのは、彼の引用符の使い方である［24］。「括弧のあいだに」という一九七五年のインタビュー〔原註30参照〕は、そのことを知るための適例のひとつである。一九八七年春にカリフォルニア大学アーヴァイン校で開催された「「理論」の諸状態」というシンポジウムにおいて行なった講演［八］のなかでデリダは、引用符ないし逆カンマによる境界設定は、「あらゆる言語や伝統のあらゆるコードへの関係が、ひとつの全体性として、あるいはその全体性において脱構築される」瞬間には必要なものとなると論じている。このようなかたちの脱構築にかんして、デリダはさらにこう付け加える。

> 伝統の言葉を真剣に使用することなどもはや不可能です。これらの言葉はもはやけっして使用されることはなく、ただ言及されるばかりです。[…]これ以降、「使用するな」が、それぞれの概念、それぞれの言葉につなげられることになります。この概念を使用するな、言及するに留めよ。[25]

実のところデリダは、フッサールの「括弧入れ《アインクラメルング》」をたんに一般化しただけでなく、ある意味においてそれを——一時的にこの言葉を使用することがまだ許されるならば——徹底化《ラディカライズ》しさえしたように私には思われる[26]。彼の「警戒的ではあるが、その原則に照らせば一般的であるとも言えるような引用符の使用［という］実践」は、なによりもまず、それ自体で与えられている明証性——それは現象学的還元が直観において把握しようとしている当のものである——さえも括弧に入れてしまうという意味において、フッサールの「括弧入れ《アインクラメルング》」の徹底化である[27]。こうした警戒の実践は、「脱構成〔deconstitute〕されているものを再構成する」こととは異なり、さらに前進するために引用符を放棄したりはしない。フッサールの「括弧入れ《アインクラメルング》」の一般化がある種の徹底化でもあるのは、たんにけっして終わることがないからではなく、それが判断ないし理論の水準に制限されるものではないからでもある。「交渉」というインタビュー〔一九八七年実施、二〇〇二年初出〕においてデリダは、気を滅入らせる可動性《モビリティ》――それこそがデリダに交渉をやめさせずにいるものである――の意味ないし理由を説明しつつ、次のような考えを表明している。

いかなるテーゼもなく、いかなる立場もなく、いかなるテーマもなく、いかなる地位もなく、いかなる実体もなく、いかなる安定性もなく、ある永続的な宙づり〔suspension：保留〕が、休みなき宙づりだけがあるのです。宙づりに休止は存在せず、さらに言えば、宙づりにすることは――もしあなたがそれを哲学的に翻訳なさるとすれば――現象学的なエポケー〔判断停止〕、あるいは〈哲学的懐疑〉〔Skepsis〕、〔…〕あるいはフッサールやハイデガーが議論したタイプの宙づりなのであって、それはいまだに見ることの水準に属しています。判断を宙づりにする者は見る者でもある、というわけです。私がいま話している交渉の宙づりというのは、それとは異なり、理論的ではありえないようなひとつの宙づりなのです。〔28〕

こうしたことのすべてから帰結するのは、認識論的ないし理論的な結果――すなわち、根元的《ラディカル》かつ根本的な基礎――の探求よりもむしろ、デリダの思考およびエクリチュールを特徴づけている引用符の実践のほうが、それが一般化された「警戒」のしるしになっているという意味において「徹底的《ラディカル》」だということである。彼はこう記している。

それゆえ問題となるのは、引用符それ自体にかんする別のエクリチュールです。このエクリチュールは、警戒を倍加し、引用符を倍加し、巧妙な仕方でさらに引用符を倍加しながら、引用符付きの言説と引用符なしの言説とのあいだの対立、言及および使用と、それらに結びつけられている価値システム全体——すなわち哲学全体、理論全体——とのあいだの対立までをもぐらつかせるのです。[29]

この一般化され徹底化された括弧入れ——これは、現象学的な態度変更によって得られたもの（「結果」）までをも宙づりにする——によって開放された「空間」こそが、脱構築が起こる「固有の」空間なのである。

現象学的エポケーのラディカルな変形としての脱構築とは、たんにどんなテーゼや立場の信憑性に対しても疑いを投げかけるといったことではまったくなく、なによりもまず、すべての偉大な形而上学的分割の局面をあらかじめ開いておくことである。とりわけ、経験的なものと超越論的なもの、事実的なものと観念的なもの、存在と本質といった対立に先立つところに、まったく新しい問いおよび問題の集合が現れるのである。しかしながら脱構築は、引用符を一般化することで、つまり警戒を徹底化することで、もはやなんらかの立証された確実性や現象学的直観のなかで得られた確固たる自明性を指し示すことによっては自己正当化できない類いの思想となるばかりではない。それは、失敗の可能性と内在的につながれたものともなる。「括弧のあいだに」においてデリダは、『弔鐘』（一九七四年）について語りながら、「もろもろのテーゼのうえで、もろもろの立場のうえで作動する」このテクストは、「あらゆる狡猾さや難攻不落の計算の余地もなく、ある地点を越えると私は自分が何をしているのかわからなくなるのだと確信している読者にとっては、たんに興味深いものにとどまる」だろうと述べている[30]。さらに続けて彼は、『弔鐘』のなかには数多くの計算が見いだされるにもかかわらず、自分にとって重要なのは「この計算がうまくいくことではない」のだと言い、脱構築の「成功」は、「計算が完全に見失われてしまうような地点」をきちんと「確保」できるかどうかにかかっているという事実を強調している。「計算は、失敗することに（よって）のみ成功する」[31]。失敗のリスクは、あらゆるテーゼや立場を宙づりにすることにかんして真剣であるような思考にとっては必須の構成要素であり、こうした内在的なリスクなくしてはこの思考は思考とさえ呼べないものになってしまうだろう。マルティン・ハイデガーは、「ヒューマニズムについての書簡」（一九四七年）のなかの何気ない一節にこう書きつけている。哲学的な思想は、みずからの扱う「事柄のなかへ入ってゆくという可能性をたえず阻止すること」によって、「［その］事柄の難しさに打ち砕かれるという危険とは無縁の場所で、安全なままにとどまっている」。結果として、哲学的な思想は「打ち砕かれること［Scheitern］をめぐって「哲学する」」ばかりである。これに対し、思考するに値するもの——ハイデガーにとってそれは〈存在〉の真理にほかならない——へとみずからを開いている思考は、失敗のリスクとたえず向き合っている。もちろん、「打ち砕かれる思考」——失敗することをめぐって「哲学する」だけの思考からは「ひとつの裂け目によって分け隔てられている」もの——は「〈存在〉が思考に対して与えうる唯一の贈り物」であるというハイデガーの主張は、大言壮語のそしりを免れることはできない［32］。にもかかわらずこの主張は、その名に値するあらゆる思考はいかなる類いの保証もないままに前進しなければならず、したがって失敗の可能性と向き合わなくてはならないのだということを的確に強調している。ゆえに、一般化された括弧入れをあらゆるテーゼや立場に施すことの結果として開かれる脱構築の「空間」は、ラディカルなまでに警戒的であることによって、警戒に失敗するというリスクへと必然的に傾いてゆくことにもなる。

　こうしたことの帰結として、デリダのすべての著作に行き渡っている批判的な警戒に、さらに別の転回がもたらされるのだということも、ここで述べておく必要があるだろう。倍加されたこの警戒は、誰かの目を大きく見開かせることによってその目が大きく閉じられる〔wide shut〕という不可避的な可能性にも気づいている。独断的《ドグマティック》な眠りの状態とははっきり区別される警戒は、それ自体としては、みずからの独断論《ドグマティズム》に陥る危険を免れてはいない。「黙示録でなく、いまでなく」〔という一九八四年の講演〕のなかでデリダは、歴史家たち——エピステーメーに奉仕する科学者として、核時代においては絶対的に新しいものなど何もないのだと論じる者たち——の批判的な警戒に言及しながら、次のように述べている。われわれはいまや黙示録的な終末の瀬戸際に、奈落の縁にいるのだという性急な結論に待ったをかけるような「記憶の明晰さ」と「批判の熱意」は、「われわれを耳も聞こえず目も見えない自殺的な夢遊病者のような状態にしてしまうこと［も］できる」。逆もまた然りであり、核時代は未曾有のものであり破局は不可避であると主張する「批判による加速」を前にしては、歴史家の「ドクサ的な議論」や、先のような結論を「批判に［よって］抑止的［に］減速」させようとする彼の試みもまた——同じくらい批判的であるとまでは言えないにせよ——必要な介入である〔33〕。言い換えれば、デリダの思想を特徴づけている警戒は、ドクサとエピステーメー、光と闇、目覚めと眠りという古典的な区別の手前にある警戒なのである。こうした警戒を特徴づけている明晰さを求める態度は、光および明晰さの可能性がもつ不可避的な——すなわち、構造的ないし本質的な——限界を意識することに随伴している。したがって、こうした警戒はみずからの限界に対する意識をも含んでいる。まんじりともせずにいること、用心深さ、そして警戒にかんするこのような考え方は、「ひとつの新たな、まったく新たな啓蒙《アウフクレールング》〔Aufklärung〕」〔34〕を求めるデリダの呼びかけの核心にあるものでもある。

なにかが真であるという蓋然性に直面すると、デリダは頑固にも、「この真理は真なのか、あるいは十分に真なのか」と問いかける。「ある程度の明瞭さ」を伴うあらゆる論証的な言明を前にして、彼は「もっとたくさんの光が必要とされている」ことをも指摘する〔35〕。多くの場合、こうした「光への欲望」は啓蒙思想〔Enlightenment〕——デリダはその精神にたえず訴えかけていた——の遺産として解釈されている。彼は次のように記す。「われわれは啓蒙《アウフクレールング》を断念することはできず、また断念してはならないのであって、これはひとつの掟であり、またひとつの運命である」〔36〕。こうした光への欲望は、「警戒への、明晰な不眠への、解明への、批判と真理への謎めいた欲望として課されている」[37]。他方で、「古き良き啓蒙《アウフクレールング》」は、みずからの「不明瞭さ」なくしてはありえないものであり、したがってみずからに特有の蒙昧主義および独断論へと傾きがちである[38]。ヨハン・ゲオルク・シュロッサーなる人物の手になるプラトンの翻訳および註釈に対してカントが――「哲学における最近の高慢な語調について」という一七九六年の論文において――仕かけた論争をめぐるデリダの議論によれば、こうした蒙昧主義および独断論は、秘法伝授への批判を「黙示録的な欲望をみずからのうちに同時に保持している真理」の名のもとに行なうような、啓蒙思想の黙示録的な側面と結びついたものである。しかしながら、もし明瞭さおよび啓示を求めるその真理の欲望を「啓蒙《アウフクレールング》」の相続人たるわれわれがどうしても断念できないのなら、その真理はまさに、「黙示録的言説それ自体、およびそうした言説によって幻視を、終末の切迫を、神の顕現を、キリストの再臨を、最後の審判を思弁するすべてのもの」、すなわち「啓蒙《アウフクレールング》」のプロジェクトそれ自体を「脱神秘化する、あるいは――こう言ったほうがよければ――脱構築するため」のものとなる[39]。黙示録的な狡知は光への欲望のもとに隠されており、それらは順次、前景化されてゆく必要がある。こうした脱神秘化――これは「できるかぎり遠くまで導かなくてはならない」――を達成するために、今日のわれわれはむしろ「過剰武装」しているのだということにデリダは注意を促している。なにしろ、われわれは「実に多くの、そして実にさまざまな解釈装置を動員」[40]することができるのだから。しかし、もし明晰な不眠がここでは終われないのだとすれば、その理由は、あらゆる脱神秘化が目的と関心を伴っている――あらゆる脱神秘化はそれらを考慮しながらなされるのであり、それらの黙示録的な重層決定は、いかに微妙であろうとも、批判によって明るみに出されなくてはならない——ということばかりにあるわけではない。もしも、今日におけるこうした脱神秘化が、実にさまざまな資源を必要とするものであり、したがって「この過剰武装をみずからに取りつけるようなシステム、すなわち——よく言われるように——精神分析をマルクス主義に、あるいはなんらかのニーチェ主義に、言語学ないし修辞学ないし語用論の資源に、言語行為《スピーチ・アクト》の理論に、形而上学の歴史や科学ないし技術の本質をめぐるハイデガーの思想に接合させるようなシステムにかんする二次的な作業」がそこに課されているのだとすれば、それはこれらの声——そして、脱神秘化のための努力において必要とされる狡知、たくらみ、魅惑——が差異を孕みつつ多数多様化し、いっそう特定しがたくなっているからでもある[41]。いずれにせよ啓蒙思想は、まさしく明瞭さの名のもとに、「ひとつの新たな、まったく新たな啓蒙《アウフクレールング》」——それによって、脱神秘化を行なう明瞭さにより多くの光が注がれることになる——のために、みずからの光への欲望とみずからが受け継いだあらゆる黙示録的な神秘化とを断念しなくてはならなくなるだろう。警戒が光そのものにも及んでゆくようなひとつの新たな啓蒙というこのモチーフは、光に抗するエマニュエル・レヴィナスの哲学的言説に対してデリダが——それは暴力であるとして——論争を仕かけた「暴力と形而上学」〔一九六四年〕においてすでに先取りされている[42]。デリダは、光というメタファーの意味がまずこのメタファーによって発語されることなしには支配したり発語したりしえないということを示したうえで、次のように述べている。

> 光が暴力の境位であるならば、最悪の暴力、言説に先立ち言説を抑圧する夜の暴力を回避するために、ある種の別の光をもって光と闘わねばならない。このような警戒は、〔…〕最小暴力として選ばれた暴力である。〔…〕哲学者（人間）は、こうした光の戦争のなかで、自分がつねにすでにそこへ巻き込まれていることを知っているようなひとつの戦争のなかで、話しそして書かねばならない。すなわち、言説を否認することでしか、言い換えれば最悪の暴力に訴える危険を冒すことでしかそこから逃れられないことを彼が知っているような、ひとつの戦争のなかで。[43]

〈光《リュミエール》〉のスタイルをまとう啓蒙も、二〇世紀において取り組まれた「啓蒙《アウフクレールング》」もともに凌駕してゆく警戒は、いかなる犠牲を払ってでも明瞭さを求めることがかえって独断論や蒙昧主義に、つまりは暴力に通じてしまうという洞察から帰結するものである。しかしながら、光と公共的な開放に対するこの要求はまさに、より多くの光が、ある種の別の光が、この要求――新しい警戒はこれのあとに続くかたちで打ち立てられることになる――に当てられなくてはならないゆえんにもなっている。先に述べたようにできるかぎり遠くまで追求されなくてはならない脱神秘化の限界は、「夜の開かれたアゴラの空間において――その plus de lumière のなかで、すなわち、もはや光がないと同時により多くの光がある状態において」[九] 察知可能なものとなる[44]。光をしてみずからを照らさしめるような、明瞭化、十分な記述、そして一義性へと向けられた理性とロゴスの光――それは、あらゆる領域における理性の公共的な使用の光でもある――による妥協なき要求は、ラディカルな警戒の光を、避けがたく「暗い光」へと変えてしまうのである［45］。

われわれが忠実でありつづけるべきものがこのような厳格な警戒の記憶であるのならば、そして、一般化された引用の実践——すなわち、括弧に入れられたものと入れられていないものとのあいだのありふれた差異さえも宙づりにしてしまうことで警戒が倍加されているような「引用符それ自体にかんする別のエクリチュール」——がこうした警戒のもっとも広く行き渡った諸効果のひとつであるのならば、そこから導かれるのは、この記憶に責任をもって応答するうえでの最初の課題は読み方を学ぶこと——読み方一般を学ぶのはもちろんであるが、とりわけ、彼の著作をいかにして読むかを学ぶこと——にこそあるということである。実のところ、はたしてわれわれはすでにデリダの読み方を知っていると言えるのだろうか。われわれは、あたかもデリダの著作にかんする話し方や書き方をすでに知っているかのような仕方で、デリダについて話したり書いたりしてはいないだろうか。しかし、ある種のエクリチュール——デリダのそれのように、仮借なき警戒が行き渡っているようなエクリチュール——の読み方を学ぶことは、まさにそうした自信に裏打ちされた能力をたえず変容させることこそを要求するのではないか。テーマごとにデリダを読むことによって多くのものを持ち帰れるのはたしかであるけれども、はたしてわれわれは、彼のテクストを、そこで言及されているテーマを取り巻くあらゆる引用符に——それがいかなる形態をまとっているかにかかわりなく——気をつけながら、つまりテクストのモードがどのようなものであるかに注意を払いながら読むすべを知っているのだろうか。われわれは、彼のテクスト上の逍遙やパフォーマティヴな行動にぴったり付き従っているときでさえも、あるいは彼がテクストを複雑に組織化するうえでの動機となっているさまざまな戦略の由来を入念にたどっているときでさえも、あるいはとりわけ、そこに見られるいわゆる戯れに満ちた性質に対して注意を払っているときでさえも、こうしたあらゆる動きを特徴づけている警戒を公正に扱うことがすでにできているのだろうか。さらに言えば、もし――「プラトンのパルマケイアー」〔一九六八年〕の冒頭においてデリダが議論しているように――「ひとつのテクストがテクストであるのは、それが最初にやって来る誰に対しても、いかなる最初の一瞥に対しても、その構成の法とそのゲームの規則とを隠しているかぎりにおいて」なのだとすれば、そのうえさらに、あるテクストを読むということはおしなべて、そのテクストの法に従いながらそこに「ある新しい糸」を付け加えるという危険を冒すことを要求するのだとすれば、はたしてわれわれは、彼のテクストがテクストとしてわれわれに要求しているものに対して、責任をもって読むことを通して――すなわち、そのたびごとに単独的なやり方で――応答するための方法を知っていると言えるのだろうか[46]。われわれは、彼のテクストにかんする構成の法および遊戯の規則に対して必要な注意を向けることがすでにできているのだろうか。われわれは、彼のテクストのなかで――彼の解釈において作動している戦略や、さまざまな立場の並置ないし対立や、彼のテクストがなすこととそれが言うこととのあいだの複雑な関係などのゆえに――起こっていることを確定するのに十分なだけの装備を身につけているのだろうか。彼のテクストのひとつひとつを、その――パフォーマティヴな性格というよりはむしろ――出来事としての性格を組織している単独的な論理、法、ないし原則に基づいて読むための準備はできているのだろうか。応答を始めるさいにその対象として選ぶこともできそうなもろもろの出来事――とりわけ言説上の出来事――について語るうえでわれわれが自在に使える分析のための道具とはいったい何だろうか。つまるところわれわれは、どれほどの確信をもって、デリダの著作を入念に読むために必要な労力と然るべき配慮――すなわち、彼のテクストのなかで起こっていることを理解するために、そして適切な仕方でそれに応答できるようになるために要求される注意力――を引き受けられると主張しうるのだろうか。

　ひとまず、われわれはデリダを読むための準備がまだできていないのだということを認めたとして――少なくとも十分にはできていないことはたしかである――、こうした条件のもとでは、デリダの思想に「脱構築」というレッテルを貼ることによってそこへ近づこうとするのははたしてどれほど有益なことだろうか。このタイトルは――かりにそれがタイトルなのだとして――、彼の著作を読みそれらを解釈しようとしているわれわれに導きを与えてくれるだろうか。「脱構築」という概念は、そもそものはじめから、つまり――実はデリダ自身にとっても大きな驚きだったのだが――彼がこの語をハイデガーの「破壊《デストルクツィオン》」という概念のたんなる訳語として用いはじめた当初から、彼の著作に貼りつけられたものであった。彼の著作の受容、および彼の著作と教えを取り巻く論争的な議論のうちの多く――とりわけ北米におけるそれら――が、このテーマに焦点を据えている。彼の思想を読み解くための鍵を与えるのではなくむしろこうした「脱構築」をめぐる問題に取り組むというのは、デリダの思想において問われているものに対してみずからを盲目にするもっとも効果的な方法ではなかろうか。彼の相続人たちに遺された警戒という遺産に対して忠実であるために、ここから先私は、彼の著作に責任をもって応答するということ――彼自身が何度も論じたように、それは選択的なものにしかなりえない――は同時に、彼の著作を、きわめて慎重に、計算されたやり方で、「脱構築」というタイトルから解放することでもあらねばならないのだということを論じようと思う。もちろん私は、彼の著作には最初からこの語がレッテルとして貼られていたという事実――すなわち、デリダ自身がこの語をくり返し取り上げ、みずからの思想にふさわしいやり方でそれを解釈しようとしつづけていたという事実――や、ゆえに脱構築の問題は極度に多層化された彼の著作においてひとつの決定的な側面を成しているといった事実はたんに無視すればよいなどと言いたいわけではない。また、われわれはもはや脱構築の概念を引き合いに出すべきではないと言いたいわけでもない。私が言いたいのは、それはある特定のやり方で行なわれるべきだということである。事実、彼の思想がわれわれに促した批判的な警戒は、彼自身がこの語のまわりに配置したあらゆる防護柵に対して注意を払うことのみならず、「脱構築」のようなタイトルが――しかし実のところは、あらゆるタイトルが――デリダの著作へのアクセスをどれほど妨げているかについてよく考えることをもわれわれに要求している。したがって、私が企図しているのは、「脱構築」という語はもはや使用せず、言及ないし引用するだけに留めておくこと、つまりそれを引用符のあいだに、逆カンマのあいだに置かれたままに留めておくことなのである。

「脱構築」という概念にかんしてデリダ自身が張り巡らせていた防護柵のうちのいくつかを、手短かに振り返っておこう。「日本の友への手紙」〔一九八四年〕――これは、ハイデガーの「日本人と問う人とのあいだの言葉についての対話」〔一九五三―五四年〕と同じく、翻訳という問題に焦点を据えている――における「脱構築」という語をめぐる考察は、この目的のために、脱構築は「何でないのでなければならないのか」についての実に無駄のない説明を提供してくれる〔47〕。しかし私は、はじめに次のことを強調しておきたい。すなわち、デリダの言うように「脱構築」という語がいっさいの内的統一を欠いているのだとすれば、またそれがけっしてある特定の企てを――ましてやひとつの時代（たとえばポストモダン）を――同定するのに役立つような「固有名」などではないのだとすれば、それは「脱構築一般などというものが存在しない」――大文字のDを用いて書かれる脱構築など存在しない――からにほかならないということを〔48〕。脱構築はひとつのものではなく、一枚岩のものでもなく、しかしそれはつねに単独的である〔49〕。「解体《アプバウ》」というフッサールの概念やハイデガーの「破壊《デストルクツィオン》」――そのどちらも、「西欧の存在論もしくは形而上学の根本的な諸概念が織りなす伝統的な構造ないし建築に対するひとつの操作」〔50〕を表している――とは異なり、デリダの初期の著作において両者を翻訳していたものとしての脱構築は、そもそも「操作」などではない。言い換えれば、それは分析でもなければ批評でもないのであり、ましてや方法へと変形できるようなものではない――もし、「方法」という語によって手続き的ないし技術的な意味合いが強調されているのだとすれば。脱構築は実践ではないし、応用脱構築といったものが存在するわけでもない。しかし、脱構築をなんらかの道具的な方法論へ還元することができないのだとすれば、それはたんに「脱構築というそれぞれの「出来事」が単独的なものでありつづけている」からというばかりでなく、まさに脱構築がそもそも「行動や操作でさえない」からでもある。これと対比させながら、「日本の友への手紙」は次のことを強調している。

> 脱構築が起こるということ、それはひとつの出来事なのであって、主体が解放されたり意識をそなえたり組織化されたりするのを待つようなものではありませんし、ましてや近代的なものの到来を待ち受けているわけでもありません。それがみずからを脱構築するのです〔*Ça se déconstruit*〕。この「それ」〔*ça*〕というのは、ここでは、なんらかの自我論的な主体性に対置される非人称的なものにはなっていません。脱構築にそれがあるのです〔…〕。そして se déconstruire の se は、なんらかの自我ないし意識の再帰性などではないのであって、すべての謎がそこに孕まれています。[51]〔一〇〕

「いくつかの声明と自明の理」のなかでデリダが指摘しているように、脱構築は「学派でもなければ、方法でもない。ひとつの言説や行為、実践ですらない。それはただ起こるものであり、〔…〕今日起こるものである。脱構築とは事例である」[52]。しかし、デリダが脱構築の「肯定的な」意味合いをほのめかしていることは明らかであるにもかかわらず、「日本の友への手紙」において彼は、次のような考えを吐露してもいる。「私はそれが良い語〔*un bon mot*〕だとは思いません。ましてや美しい〔beau〕語ではけっしてありません。たしかなのは、きわめて限定的な状況のもとでは、それが少しは役に立ったということです」[53]。したがって「脱構築」は、「本質的には置換の連鎖のなかで取って代わられうるような」語でもあるということになる。この語は、かつては目に見えて役立っていたのだとしても、文脈と状況が変化すればさほど有用ではなくなりうるのであって、ゆえにそのさいには放棄されるべき——デリダの思想において起こっていることのタイトルとしてよりふさわしいであろう別の語に置き換えられるべきという意味では必ずしもなく、限界に達したらまるごと放棄されるべき——ものである[54]。

数多くのテクストにおいてデリダは、彼が「タイトルの問い」と呼ぶもの——すなわち、とりわけ芸術作品にかんする、タイトルの位置、そしてタイトルのトポスをめぐる問い——を取り上げている[55]。この「タイトルの問い」がデリダにとって、そこへ立ち返らなくてはならないと何度も思わされてしまうような決定的な問題だったのだとすれば、その理由はまさに、彼が「テクスト」を——ここではとくに芸術作品を——理解する方法にある。「二重の会」〔一九七〇年〕において示されているように、いかなるタイトルも、あるテクスト——かりにそれがひとつなのだとして——をはっきりと名指し、同定し、統一することなどできはしない。テクストは、上方のいかなる外部地点からも見下ろされたりはしないし、その統一的な本質を名指すようないかなるトポスによっても支配されたりはしない。しかしだからといってデリダは、芸術作品が、あるいはテクストが、たんに無題《タイトルレス》のままにとどまることになるということを言おうとしているわけではないし、そういう状態にとどまりうると言いたいわけですらない。マラルメにおけるタイトルの問いをめぐる彼の労作が示したところによれば、実はマラルメもまた「この問いを立てていたし、むしろこの問いを、二股の答えによって解消していた。すなわち、この答え自体から問いを斥けつつ、問いの資格《タイトル》さえも浮いたままにするような本質的な非決定のほうへと問いをずらしたのである」。

一方でマラルメは、頭や大文字やお告げよろしく、正面高くやって来て声高にしゃべりすぎるタイトルを宙づりにせよと命じる。理由は二つあって、ひとつは、タイトルが声を張り上げることで肝腎のテクストのほうが聞こえなくなるからであり、もうひとつは、ページの上部を占めることで、上部が抜きん出た中心となり、始まりとなり、司令部となり、長《おさ》となり、執政官となってしまうからである。

他方でタイトルは、シャンデリアのように、テクストの上方高く――タイトルはそこから「すべてを期待しすべてを受け取る、あるいは何も期待せず何も受け取らない」のであるが、同時にそこは、空白か否かにかかわらず、テクストが頼りにすることのできる資源を提供している場所でもある――において宙づりにされたままでありつづけることになる[56]。テクストはあらゆるタイトルを蝕む。テクストにタイトルを与えられるものなど存在しない。にもかかわらず、テクストがテクストでいられるのは、テクストがテクスト外のもの――すなわちタイトル――に言及し、それを可能なものとし、ひとつの運動――ブランショにおけるタイトルの問いをめぐる論文のなかでデリダが「内部陥入〔invagination〕」と呼んだもの――を通してそれをみずからのうちに織り込むかぎりにおいてでもあるのである[57]。

それでは、「脱構築主義〔deconstructionism〕」というタイトルにかんしてはどうだろうか。一般に人々は、デリダ的な思想を指すために、そしてそれを位置づけようとするためにこれを用いている。デリダ自身は、脱構築――その過程および効果――を「脱構築主義者たち〔deconstructionists〕」の「脱構築主義」から区別する必要性を何度も強調しており、「脱構築」という語から区別されるものとしてのそれは、彼によってつねに引用符のもとに従属させられている。ひとつのタイトルとしての「脱構築主義」は、すべてのタイトルと同じく、空虚でも無垢でもない。一方でこのタイトルは、覇権を握り均質化することにその目的を置いている――言い換えれば、このレッテルのもとで生じていることを外側から征服してコントロールし、それは他者の言説にすぎないとして失格を宣告するという役目を果たしている。他方でこのタイトルは、「脱構築主義」を実践する者、そしてそれを学界に売り込む者が、みずからを合法化し推薦するための手段としても機能している。デリダは、これら二つの事例にかんして次のように断言する。「「脱構築主義」においては、このエクリチュール〔すなわち、「引用符のなかに引用符を」置くような脱構築のエクリチュール〕をふたたび専有し、手なずけ、正常化するための努力がなされており、そして、新たな「理論」――みずからの方法および規則を持ち、使用と言及を区別する基準をそなえ、みずからの規律および制度に由来する真面目さをも身につけているような「脱構築主義」――を再構成することが目論まれているのだ」と[58]。「脱構築主義」というタイトルの目的ないし効果は、脱構築の過程および効果を――そこからみずからを遠ざけるために、あるいは、オリジナリティを求める学界の要求に新しい「主義《イズム》」でもって応えるべくそれを包摂するために――ひとつの理論ないし批判的方法へと馴致することにあるのだ。

「いくつかの声明と自明の理」においてなされている、最新の「主義《イズム》」に対するデリダの批判的な議論は、「脱構築主義」に限定されたものではなく、過去四〇年かそこらの学界の内外における言説を通して立て続けに台頭してきた無数の「主義《イズム》」をも引き合いに出している。「ヒューマニズムについての書簡」におけるハイデガーの議論もまたこれと同様である。彼の思想はヒューマニズムなのか否かというジャン・ボーフレからの問いをきっかけに書かれたにもかかわらず、ハイデガーの応答は、ヒューマニズムや実存主義に限定されたものにはなっていない。事実、ヒューマニズムをめぐる討論において彼は、そうしたあらゆる見出しないしタイトル（Titel）はただ災い（Unheil）をもたらすばかりであると考えている。もちろんそうしたタイトルはつねに疑わしいものでありつづけていたが、この疑いはまだ十分に押し進められてはいない。「主義《イズム》」への不信としての疑い、あるいは「主義《イズム》」に対する確信の欠如としての疑いは、本質的には、世論の市場における新しいタイトルに対する引きも切らない需要の等価物でしかない。疑いは敬うべき伝統に対して要求を突きつけられるのに対して、つねに新しいタイトルを求める需要はただ、新しいものに対する同じくらい熱烈な欲望に応えるばかりである。ハイデガーは次のように記す。「たしかに、人々は長らく、もろもろの「主義《イズム》」を不信に思い［mißtraut］つづけてはいる。けれども、世論の市場はつねに新しい「主義《イズム》」を要求してやまない。人々はたえず、こうした需要を満たそうと用意している」[59]。続けてハイデガーはこう付け加える。「こうした語が支配するようになるのは、偶然のことではない。この支配は、公共的空間に特有の独裁力に基づいており、とりわけ近代においてはそうである」[60]。実際、公共的空間において思考は、つねに新しい「主義《イズム》」という体裁をまとって売り込まれ、儲けを生みだしており、こうしたもろもろの「主義《イズム》」は、互いに競争し、「よそよりも多くのものを提供」することで相手を出し抜こうとしている[61]。「ヒューマニズム」という語をめぐるハイデガーの議論から帰結するのは、各々の「主義《イズム》」は本質主義の市場に対してなにか本質的なものを提供しているということである。あるひとつの本質を他の本質よりも優先するような主張に基づく各々の新しい「主義《イズム》」は、あたかも、本質の剰余を提供しているかのようである。ヒューマニズムの場合であれば、この剰余が人間の本質だということになる。ハイデガーは次のように書きつけている。ヒューマニズムという語は「たんなる「声の風《フラートゥス・ヴォーキス》」〔空虚な音〕などではない。この語〔Humanismus〕のなかの humanum〔人間的であること〕という部分は、人間性《フマニタス》を、すなわち人間の本質のことを指している。そして -ismus〔主義〕という部分は、人間の本質が本質的なものとして受け取られてほしいということを示している」[62]。各々の新しい「主義《イズム》」とは、このような、本質において優先されているなにかを提供することにほかならない。それは、競合する他のあらゆる本質主義と較べてより本質的であると主張している。こうしたもろもろの「主義《イズム》」に対するハイデガーの批判は、明らかに、公共的空間を複数性と多様なものが支配する領域と見なすような彼の理解（そして究極の蔑み）に基づいたものである。以下に見るように、思想の複数性は、彼にとってはすでに思想の終わりである。しかし彼が「公共的空間の独裁力」と名づけたもの――それは新しい「主義《イズム》」を絶え間なく産出することによって顕現する――が問いに付されるのは、その反対物、すなわち個人的ないし私的な実存に基づいてのことではない。こうした反対物は、それがあらゆる「主義《イズム》」に対して抱く疑いもろとも、「あくまでも公共的なものに依存した横枝にとどまっており、そこからたんに後退することによってみずからを養っている。したがってそれは、みずからの意志に反して、公共的空間への隷属を証言してしまっているのである」[63]。思想がもろもろの「主義《イズム》」へと分かれてしまい、さまざまなタイトルに従属させられていることをハイデガーが問題視するのはむしろ、タイトルが本質を唱道しており、非本質的なものとの対比によって何が本質的であるのかを言明しているからである。サルトルが本質《エッセンティア》よりも実存《エクシステンティア》を優先したことが、「その哲学を表すのにふさわしいタイトルとして「実存主義」という名を用いることを正当化している」のだとしても、こうした根本的な形而上学的対立のたんなる反転は、かつて「本質」のために取っておかれていた場所を今度は「実存」が占めるというだけのことであるがゆえに、当初と同じくらい形而上学的なものしか生まない[64]。そのようなものとしてのもろもろの「主義《イズム》」と、それらが繁茂している公共的空間とはともに形而上学に属しており、「ヒューマニズムについての書簡」が示したところによるとそれは、現実性《アクチュアリタス》からは区別される可能性《ポシビリタス》としての本質という概念に依拠したものである。もろもろの見出しないしタイトルのもとでの思考は、本質とそれ以外のさまざまなもののあいだの差異に――すなわち、ハイデガーの説明によれば存在忘却にその淵源を持ち、それ自体が形而上学的思想の構成要素となっているようなひとつの差異に――いまだ縛られたままである。

しかしながら、思想が「もろもろの哲学」や「もろもろの主義《イズム》」へと粉砕させられてしまうことが、とりわけ近代の世界における現象なのだとすれば、次のことも同様に成り立つとハイデガーは言う。「「論理学」とか「倫理学」とか「自然学」といった名でさえも、根源的な思考が終わりを迎えたときにはじめて繁茂するようになったものにほかならない。ギリシア人たちは、彼らが偉大であった時代においては、こうした見出しのないままに思考していた。彼らはその思考を「哲学」とさえ名づけなかった」[65]。タイトルの増殖が思考の衰退を示す徴候になっているというばかりでなく、そもそも思考の終わりはすでに古代において、プラトンの一派が「論理学」とか「倫理学」とか「自然学」といった名をそれぞれ独立した学問分野を指すために使いはじめたときから明らかなものとなっていた。「哲学」、すなわち知への愛[一一]――より正確に言えば、「理論的な知《エピステーメー・テオーレーティケー》」ないし「最高の諸原因に基づいてものごとを説明するための技術」として理解されるような知への愛――という語でさえも、思考の真の本性を見誤っている[66]。哲学がひとつの職業となってしまった瞬間に、そして人々が哲学をするのに忙しくなってしまった瞬間に、彼らはもはや思考しなくなるのだとハイデガーは述べる[67]。しかしながら、偉大な時代のギリシア人たちが見出しやタイトルやレッテルや標語――そこには「哲学」というタイトルも含まれている――のないままに思考していたということを受け入れた人々が導かなくてはならないのは、思考はそうした称号によって規定されるがままにとどまっているべきではないという結論である。思考は、みずからを正当化してくれるものを、なんらかの本質を優先することで他の思考よりも本質的であるかのようにふるまう資格を与えてくれるもろもろのタイトルに求めてはならない。ハイデガーによれば、思考は、その所有権を主張できるような――そしてそれによってみずからの正当化がなされるような――本質的な根拠をいっさい欠いたままに生じなくてはならない。思考は、「公共的空間の魅惑にも私的なものの無力さにも」抵抗しながら、「名のない」状態のままにとどまることになる[68]。けれども思考が、あれやこれやの本質を贔屓しようと決めることなどではなく、あれやこれやの「主義《イズム》」を支持することでもないのだとすれば、それは警戒のおかげであるばかりでなく――警戒なくしては思考はそもそも立ちゆかないのであり、ハイデガーはそれを思考の「注意深さ《アハトザムカイト》〔Achtsamkeit〕」と、すなわち「思考の抜かりのなさ」と呼んだ――、むしろ「思考そのものに対して設定された境界を尊重するがゆえのことであり、しかもこうした境界が実は、思考に対して思考されるべきものとしてみずからを与えるところのもの、すなわち〈存在〉の真理によって設定されたものだからである」[69]。思考は、〈存在〉について考えることを強いるような課題、すなわちハイデガーが「人目につきにくい行為〔das unscheinbare Tun〕」と呼んだもののうちに存する課題へとみずからを制限することによって、〈存在〉の形而上学的な解釈――それはあらゆる本質の確立を下支えしている――と、それに伴なうけばけばしいタイトルのすべてを宙づりにしてしまう[70]。思考がタイトルのないままに考えるのは、それが――ハイデガーの言葉を用いれば――みずからの境位《エレメント》のうちにとどまっているときであり、それが〈存在〉の思考でありつづけているかぎりにおいてであり、そしてそれが、相争って本質化しようとしているもろもろの「主義《イズム》」へと分かれてしまうのではなく、思考されることを要求する唯一のもの——すなわち〈存在〉——によって思考における統一を維持できているかぎりにおいてである。

明らかに、デリダもまた、もろもろのタイトルに対するこうした感受性をハイデガーと共有している。しかしながら、〈存在〉の思考はいかなるタイトルへも従属することなく、また市場価値の高い「主義《イズム》」のいかなる魅惑にも屈することなく生じるものだと考えていたハイデガーとは異なり、デリダは、そもそも思想はけっしてタイトルを要求したいと思ってはならないことを、そして思想はあらゆるタイトルを——それらがその思想を支配しようとしているかぎりは——宙づりにしなくてはならないことを認めている。けれどもデリダは次のことも受け入れている。すなわち、思想は、そしてあらゆるテクストは、公共的空間の独裁力のゆえばかりでなく、そもそも構造的な理由により、不可避的にもろもろのタイトルを生みだしてしまう、あるいは呼び起こしてしまうのだということを。「タイトルの問い」を提起するなかでデリダは、テクストはみずからのタイトルを宙づりにするにもかかわらず、入り組んだ参照の構造としてのテクストは避けがたくタイトルを伴ってしまう——たとえそれがテクスト上部の空白でしかなかったとしても——ということを示した。デリダの思想を貫く特徴であると私が大づかみに捉えているものに従えば、いかなるものもその対立物、あるいはそれとは別のもの——別の思考、ここではとくに別のテクスト——を欠いたかたちで所有されることはないという根本的な洞察ないし経験は、もろもろのタイトルや見出しや「主義《イズム》」の空間であるところの外的な余白を必ず伴っている。しかしながら、テクストがみずからのタイトルを——宙づりにし内部陥入させるというかたちで――資源として頼っているのと同様に、思考もまた、みずからに割り当てられたもろもろのタイトルを――批判を通して宙づりにするというかたちで――使用しはじめることになるのである。

「日本の友への手紙」を締めくくる一節のなかでデリダは、déconstruction という語を日本語などの他の言語へ翻訳することをめぐる問いを持ち出している。彼は次のように記す。

> チャンスは、なによりもまず「脱構築」（という名詞）にとってのチャンスは、ある別の語（同じであり別のものでもあるような語）――同じこと（同じであり別のものでもあるようなこと）を言い、脱構築を語り、それを別のところへ連れてゆき、それを書き、それを転写するための語――が、日本語に見いだされるかどうか［あるいは発明されるかどうか］にかかっています。つまり、より美しい語のなかに移されるかどうかに。［71］

「本質的には置換の連鎖のなかで取って代わられうる」ものであるこの語には何も残されておらず、この語に依存しているものなどいっさい存在しない。ここから導かれるのは、この語は――他のあらゆる語と同じく――翻訳されることを要求しているにもかかわらず、この語が名づけているものの遺産に対する責任が、特定の状況下においては、この要求に対する留意の拒否を求めることもありうるということである。「脱構築」という語に何も依存していないのだとすれば、さしあたって私は、われわれの幸運を望みつつ、そして彼の思想のなかで何が起こっているのかについてわれわれが考えはじめること期待しつつ、デリダの思想をこの見出し――あるいは他のあらゆる見出し――のないままに留めておくことを提案したいと思う。

デリダは一貫して、みずからの思想を「脱構築主義者」ないし「脱構築主義」に分類するあらゆるカテゴリー化を斥けている。しかし、たとえ「脱構築」という語――デリダはこれをつねに引用符のなかに置いていたわけではない（この単語そのものに言及している場合を除いては）――は「主義《イズム》」ではないのだとしても、これもまた同様に括弧に入れられるべきである。脱構築はひとつのものではないということを、この語自体には統一的な意味などないということを、脱構築が単数形で起こることはけっしてないということを、彼は何度もわれわれに思い出させようとしたけれども、やはり「脱構築」という語――脱構築されたシチューとか、脱構築された衣服とか、脱構築されたオフィス・スペースといったように、いまやあらゆる領域に応用されているこの標語――は、もはやデリダの思想を指すために使用されるべきではないのである。実際この語は、彼の思想を定義し、それに朱筆を入れ、それを密告するかのようにふるまうひとつのレッテルとなってしまっている。数多くの場所で彼が、この語をしきりにみずからの思想へ適用するかのようなさまざまな仕方で、この語について考えをめぐらせ、それを解釈しつづけてきたことは事実であるが、それでもやはり、これからはこの語は、ただ言及されるだけのものに留められるべきである。実のところ、「脱構築」を責任をもって保持するうえで最初に必要とされるのは、この語を――たとえそれがデリダ自身のテクストのなかにあるものだったとしても――×印で抹消することにほかならない。そして実のところ、彼の思想が一般化された引用符の実践を前提としているのだとすれば、「脱構築」という語も、そして他のいかなるタイトルも、そこに貼り付けられることはありえず、また貼り付けられるべきでもない。ハイデガーは、公共的空間におけるあらゆる類いの「主義《イズム》」の増殖によって思考が粉砕されてしまうことへの抵抗を通して、〈存在〉の思想に名を与えることに抵抗していた。デリダの思想はけっして「テーマ」たりえないなにか――すなわち〈存在〉――によって統一されていたわけではなく、また公共的空間に対してハイデガーほどに軽蔑的な考えを抱いていたわけではない――もちろん単純な多元論の思想家であったわけでもない――が、彼の思想の一貫性は、このような一般化された引用符の政治を土台に据えたときにかぎって目に見えるものとなる。警戒が伝統のあらゆる言葉へと及んだときに、ただそのときにのみ、作動中の「脱構築」は、より正確に言えば、なにかが起こるときにはいつでもそしてどこでも――世界のなかでか、言説のなかでか、あるいはテクストのなかでかにかかわりなく――起こっている脱構築は、目に見えるものとなる。あらゆる語や概念や法や立場などが逆カンマのあいだで宙づりにされているという条件のもとでのみ、各々の語や概念や法がいかにしてみずからが排除したもの――自分とは別のもの、あるいは自分の反対物――を包摂しているのかを看て取ることができる。括弧に入れられた語や概念や法などのあいだで起こっているものとしての――すなわち、包含と排除が同時になされるという、内と外とのあいだをたえず行き交うというパラドックス、アンチノミー、ないしアポリアとしての――「脱構築」は、ただこの条件のもとでのみ目に見えるものとなるのだ——独特でもありまた普遍的でもあることを避けられないようなさまざまな仕方で形式化されることを要求しながらも、そのたびごとに単独的な仕方で。

原註

［1］ Camille Paglia, "Ninnies, Pedants, Tyrants and Other Academics," *New York Times Magazine*, May 5, 1991.

［2］ たとえば脱構築神学は、よりアメリカ特有な脱構築の形態のひとつである。

［3］ Jacques Derrida, *Memories for Paul de Man*, trans. C. Lindsay, J. Culler, E. Cadava (New York: Columbia University Press, 1986), p. 17.

［4］ Derrida, *Memories for Paul de Man*, p. 18. この言明にかんする詳細な議論にかんしては以下を参照。Michael Naas, "Derrida's America," (in *For Derrida*, Routledge, forthcoming). 〔ここで「近刊（forthcoming）」とされている文献は、改題のうえで以下として出版された。Michael Naas, "Derrida's America," in *Derrida's Legacies: Literature and Philosophy*, eds. S. Glendinning and R. Eaglestone (New York: Routledge, 2008), pp. 118–137. この論文はのちに以下の単行本へ再録された。Michael Naas, *Derrida from Now On* (New York: Fordham University Press, 2008)〕

［5］ Jacques Derrida, "The Time is Out of Joint," in *Deconstruction is/in America: A New Sense of the Political*, ed. A. Haverkamp (New York: NYU Press, 1995), p. 17.

［6］ James Creech, Peggy Kamuf, Jane Todd, "Deconstruction in America: An Interview with Jacques Derrida," *Critical Exchange* 17 (winter 1985), p. 28.

［7］ Ibid., pp. 22–23.

[8] Ibid., pp. 2, 4. 以下において、これと同様の議論が、「この国のいくつかの文学科というその出現地においてしか意味を持たない純粋に北米的な人工物として」の「理論〔theory〕」にかんしてなされている。Jacques Derrida, "Some Statements and Truisms about Neologism, Newisms, Postisms, Parasitisms, and Other Small Seismisms," in *The States of "Theory,"* ed. David Carroll (New York: Columbia University Press, 1990), pp. 71, 81.〔ジャック・デリダ「新造語、新〜主義、ポスト〜主義、寄生およびその他の小さな地震現象についての、いくつかの声明と自明の理」吉松覚訳、『思想』二〇一四年一二月号、岩波書店、一五〇、一五九頁〕

[9] Derrida, "The Time is Out of Joint," p. 15.

[10] Creech, Kamuf, Todd, "Deconstruction in America," p. 29.

[11] Ibid., p. 23.

[12] 一九八五年のインタビューではデリダ自身が、なぜアメリカの学術機関が——ヨーロッパの場合とは異なり——脱構築を受け入れる余地を備えていたのかを説明するさまざまな理由を概説している。とくに以下を参照。Ibid., pp. 2–3.

[13] ハンス＝ゲオルク・ガダマーは、合衆国の哲学科において彼自身が得た経験を引き合いに出していることが明らかなある一節のなかに、次のような辛辣な観察を記しており、これはアメリカの哲学者がデリダの著作に関心を抱かなかった理由を——少なくともその一端を——説明するものにもなっている。「外国においては、私には時代遅れで主題にそぐわない〔sachfern〕と思われるような概念的言語が、いまだに話されつづけている。そこでは人々は、「実在論」と「観念論」について、さらには「客観的」と「主観的」について、あたかもそれらの形而上学の歴史上の諸概念が、近代科学の時代における意味の完全な変容を被らなかったかのような、それらがもはや思考にかんするわれわれの要求にいっさい応えていないかのような様子で、いまも話している。思考は言語のなかで生じなければならず、そして思考はみずからを伝えるために言語を必要としているはずであるのに、思考がとうに乗り越えられているはずの諸概念の背後へと退いてしまい、そ

れらのなかへ絡め取られてしまうと、言語というものはほとんど失われてしまうのである」(Hans-Georg Gadamer, "Europa und die Oikoumene," in *Europa und die Philosophie*, ed. H.-H. Gander [Frankfurt/Main: Klostermann, 1993], pp. 70–71)。

[14] Hannah Arendt, *The Human Condition* (Chicago: University of Chicago Press, 1958), pp. 9, 97.〔ハンナ・アレント『人間の条件』志水速雄訳、ちくま学芸文庫、一九九四年、二一、一五二―一五三頁〕

[15] Jacques Derrida, "Uninterrupted Dialogue: Between Two Infinities, The Poem," in *Research in Phenomenology* 34 (2004), p. 8.〔ジャック・デリダ『雄羊』林好雄訳、ちくま学芸文庫、二〇〇六年、二〇―二一頁〕

[16] Hannah Arendt, *The Life of the Mind, One/Thinking* (New York: Harcourt Brace Jovanovich, 1978), p. 175.〔ハンナ・アーレント『精神の生活(上)』佐藤和夫訳、岩波書店、一九九四年、二〇二頁〕

[17] とりわけデリダのいくつものインタビューのなかに、こうした警戒の主題《トポス》に対してくり返しなされる明示的な言及を見いだすことができる。以降の論述において私は、それらの言明のうちのいくつかを、当該の問題を強調するために引用するつもりであるが、同時にわれわれは、インタビューというジャンルの特徴をデリダ自身がどう捉えていたのかについても注意を払っておくべきだろう。「インタビューにおいて重要なこと[…]は、いちいちつねに、可能なかぎりもっとも計算されていない仕方で、ありのままに発言するということ、私がふだん同じことを話しているさいのものではないやり方で発言しようと心がけること、そして、自分を正当化したり擁護したりしようとせずに事柄を解きほぐすべく心がけることです」(Jacques Derrida, *Negotiations: Interventions and Interviews 1971–2001*, ed. E. Rottenberg [Stanford: Stanford University Press, 2002], p. 20)。

[18] Martin Heidegger, *Being and Time*, trans. J. Macquarrie and E. Robinson (London: SCM, 1962), p. 271〔マルティン・ハイデッガー『存在と時間(上)』細谷貞雄訳、ちくま学芸文庫、一九九四年、四七三頁〕。

Pascall's Pensées, trans. H. F. Stewart (London: Routledge and Kegan Paul, 1950), p. 151.〔パスカル『パンセI』前田陽一・由木康訳、中公クラシックス、二〇〇一年、三〇六頁〕

[19] Friedrich Nietzsche, *Beyond Good and Evil: Prelude to a Philosophy of the Future*, trans. W. Kaufmann (New York: Vintage Books, 1989), p. 46〔『ニーチェ全集 第二巻（第II期）――善悪の彼岸』吉村博次訳、白水社、一九八三年、六八頁〕。デリダは次のように記している。「「疑い」という表現によって、問いのあらゆる様態、「知ろうとする」ことや「説明しようとする」ことや警戒しながら批判的かつ能動的に読もうとすることのあらゆる様態を意味しているのでないかぎり、私にはなぜ人々が疑いなどを持ち出して重要視するのかがわからない。私は一度もそんなことをしていないし、六〇年代にジャーナリズムが、マルクスやニーチェやフロイトに準拠するあらゆる思想を疑いの言説としてひとまとめにしていたようなやり方は、いつもいいかげんなものだと思っていた」(Jacques Derrida, "« Nous autres Grecs »," in *Nos Grecs et leurs moderns*, ed. B. Cassin (Paris: Seuil, 1992), p. 268〔ジャック・デリダ「〈われら（他なる）ギリシア人〉」加賀野井秀一訳、『岩波講座　現代思想5――構造革命論』岩波書店、一九九三年、二〇六頁〕)。

[20] Paul Ricoeur, *Freud and Philosophy: An Essay on Interpretation*, trans. D. Savage (New Haven: Yale University Press), 1970, pp. 32–33〔ポール・リクール『フロイトを読む――解釈学試論』久米博訳、新曜社、一九八二年、三七―三八頁〕。以下も参照。Paul Ricoeur, *Conflict of Interpretation*, ed. D. Ihde (Evanston, IL: Northwestern University Press, 1974), pp. 148–150.

[21] Edmund Husserl, *Grundprobleme der Phänomenologie 1910/11* (Hamburg: Felix Meiner, 1992), p. 52.〔エトムント・フッサール「現象学の根本問題」『間主観性の現象学　その方法』浜渦辰二・山口一郎監訳、ちくま学芸文庫、二〇一二年、七六頁〕

[22] Edmund Husserl, *Ideas: General Introduction to Pure Phenomenology*, trans. W. R. Boyce Gibson (New York: Humanities Press, 1969), p. 108.〔エトムント・フッサール『イデーンI－I』渡辺二郎訳、みすず書房、

一九七九年、一三六―一三七頁〉

〔23〕 Husserl, *Grundprobleme*, pp. 31, 46.〈フッサール「現象学の根本問題」四二、六六頁〉

〔24〕 フッサールの括弧入れにかんしてはたとえば以下を参照。Jacques Derrida, *Le problème de la genèse dans la philosophie de Husserl* (Paris: Presses Universitaires de France, 1990), pp. 135–136〈ジャック・デリダ『フッサール哲学における発生の問題』合田正人・荒金直人訳、みすず書房、二〇〇七年、一三四―一三六頁〉。ハイデガーが「存在」という語ないし概念を抹消したことを、デリダは以下において取り上げている。"How to Avoid Speaking: Denials," in *Languages of the Unsayable: The Play of Negativity in Literature and Literary Theory*, ed. S. Budick and W. Iser (New York: Columbia University Press, 1989).〈ジャック・デリダ「いかに語らずにいられるか　否認の数々」『プシュケー——他なるものの発明Ⅱ』藤本一勇訳、岩波書店、二〇一九年所収〉

〔25〕 Derrida, "Some Statements and Truisms," pp. 74–75.〈デリダ「いくつかの声明と自明の理」一五三頁〉

〔26〕 デリダは、「徹底性《ラディカリティ》の価値」について述べている箇所において、次のように断言している。「それ自体が脱構築されなくてはなりません。それは、あらゆる類の価値——たとえば根本性や起源の価値——へと通じてゆくものです。かりに脱構築が徹底性の価値と結びつけられてしまうとすれば、それはみずからを殺し、みずからを破壊し、あるいはわれわれがまだ必要としている——たとえば私がまだ必要としている——すべての安全性《セキュリティ》を破壊することになってしまうでしょう」(Derrida, *Negotiations*, pp. 15–16)。

〔27〕 Derrida, "Some Statements and Truisms," p. 77.〈デリダ「いくつかの声明と自明の理」一五五頁〉

〔28〕 Derrida, *Negotiations*, p. 13.

〔29〕 Derrida, "Some Statements and Truisms," p. 75.〈デリダ「いくつかの声明と自明の理」一五三頁〉

〔30〕 Jacques Derrida, *Points . . . Interviews, 1974–1994*, trans. E. Weber (Stanford: Stanford University Press, 1995), pp. 21–22.〈ジャック・デリダ「鉤〈括弧〉の中で」松葉洋一・港道隆訳、『現代思想』一九八六年七月号、青土社、二五〇頁〉

[31] Ibid., pp. 42–43〔ジャック・デリダ「Ja, ou le faux-bond」増田一夫訳、『現代思想』一九八六年八月号、青土社、二三二–二三三頁〕。これらの箇所についての、さらには、全面的な支配権の放棄が受容不可能性の達成を意図したものではないと言えるのはなぜかについての詳細な議論にかんしては、以下の拙著を参照。*Inventions of Difference: On Jacques Derrida* (Cambridge, MA: Harvard University Press, 1994), pp. 230–231.

[32] Martin Heidegger, *Basic Writings*, ed. D. F. Krell (New York: Harper & Row, 1977), p. 223.〔マルティン・ハイデッガー『「ヒューマニズム」について』渡邊二郎訳、ちくま学芸文庫、一九九七年、八八–八九頁〕

[33] Jacques Derrida, *Psyché* (Paris: Galilée, 1987), p. 365.〔ジャック・デリダ『プシュケー――他なるものの発明Ⅰ』藤本一勇訳、岩波書店、二〇一四年、五七四–五七五頁〕

[34] Jacques Derrida, *Limited Inc* (Evanston, IL: Northwestern University Press, 1988), p. 141.〔ジャック・デリダ『有限責任会社』高橋哲哉・増田一夫・宮﨑裕助訳、法政大学出版局、二〇〇二年、三〇四頁〕

[35] Derrida, *Memories for Paul de Man*, p. 33.

[36] Jacques Derrida, "On a Newly Arisen Apocalyptic Tone in Philosophy," in *Raising the Tone of Philosophy: Late Essays by Immanuel Kant, Transformative Critique by Jacques Derrida*, ed. P. Fenves (Baltimore: Johns Hopkins University Press, 1993), pp. 148–149.〔ジャック・デリダ『哲学における最近の黙示録的語調について』白井健三郎訳、朝日出版社、一九八四年、九七、一〇〇頁〕

[37] Ibid., p. 148.〔同書、九七–九八頁〕

[38] Derrida, *Limited Inc*, p. 119.〔デリダ『有限責任会社』二五八頁〕

[39] Derrida, "On a Newly Arisen Apocalyptic Tone in Philosophy," p. 148.〔デリダ『哲学における最近の黙示録的語調について』九八頁〕

[40] Ibid., pp. 159, 149.〔同書、一二二、九九頁〕

[41] Ibid., p. 149.〔同書、九九–一〇〇頁〕

[42] デリダの著作を貫くこのモチーフについての広範囲にわたる議論にかんしては以下を参照。Hent de Vries, "Apocalyptics and Enlightenment," in *Philosophy and the Turn to Religion* (Baltimore: Johns Hopkins University Press, 1999), pp. 359–430.

[43] Jacques Derrida, *Writing and Difference*, trans. A. Bass (Chicago: University of Chicago Press, 1978), p. 117.〔ジャック・デリダ『エクリチュールと差異』合田正人・谷口博史訳、法政大学出版局、二〇一三年、二二八―二二九頁〕

[44] Derrida, *Memories for Paul de Man*, p. 37.

[45] Ibid., p. 34.

[46] Jacques Derrida, *Dissemination*, trans. B. Johnson (Chicago: University of Chicago Press, 1981), p. 63〔ジャック・デリダ『散種』藤本一勇・立花史・郷原佳以訳、法政大学出版局、二〇一三年、九三―九四頁〕。ここに引用した一節についての詳細な議論にかんしては、以下の拙著のなかの"Giving to Read"という章を参照のこと。*The Wild Card of Reading: On Paul de Man* (Cambridge, MA: Harvard University Press, 1998), pp. 149–180.

[47] Jacques Derrida, "Letter to a Japanese Friend," trans. D. Wood and A. Benjamin, in *Derrida and Difference*, eds. D. Wood and B. Bernasconi (Evanston, IL: Northwestern University Press, 1988), p. 1.〔ジャック・デリダ「日本の友への手紙」『プシュケーII』二頁〕

[48] Derrida, "Some Statements and Truisms," p. 88〔デリダ「いくつかの声明と自明の理」一六六頁〕。以下も参照。Jacques Derrida, *Moscou aller-retour* (La Tour d'Aigues: L'Aube, 1995), p. 125〔ジャック・デリダ『ジャック・デリダのモスクワ』土田知則訳、夏目書房、一九九六年、一七一頁〕。そこでは彼は次のように記している。「脱構築はひとつではありません。しばしば、とりわけ合衆国での論争のさいに、「脱構築」という語が大文字を用いて書かれていたりするのを見て、私は困惑させられています」。

[49] Derrida, *Memories for Paul de Man*, p. 17.

[50] Derrida, "Letter," p. 1.〔デリダ「日本の友への手紙」三頁〕

[51] *Ibid*., pp. 3–4.〔同書、六―七頁〕

[52] Derrida, "Some Statements and Truisms," p. 85.〔デリダ「いくつかの声明と自明の理」一六二頁〕

[53] Derrida, "Letter," p. 5.〔デリダ「日本の友への手紙」九頁〕

[54] Ibid.〔同前〕

[55] Jacques Derrida, *The Truth in Painting*, trans. G. Bennington and I. McLeod (Chicago: University of Chicago Press, 1987), p. 24.〔ジャック・デリダ『絵画における真理（上）』高橋允昭・阿部宏慈訳、法政大学出版局、一九九七年、三八頁〕

[56] Derrida, *Dissemination*, pp. 177–179.〔デリダ『散種』二八二、二八四頁〕

[57] 以下を参照。Jacques Derrida, *Parages* (Paris: Galilée, 1986).〔ジャック・デリダ『境域』岩森栄樹訳、書肆心水、二〇一〇年〕

[58] Derrida, "Some Statements and Truisms," pp. 75–76.〔デリダ「いくつかの声明と自明の理」一五四頁〕

[59] Heidegger, *Basic Writings*, pp. 195–196.〔ハイデッガー『「ヒューマニズム」について』二二頁〕

[60] Ibid., p. 197.〔同書、二五―二六頁〕

[61] Ibid.〔同書、二五頁〕

[62] Ibid., p. 224.〔同書、九二頁〕

[63] Ibid., p. 197.〔同書、二六頁〕

[64] Ibid., p. 209.〔同書、五二頁〕

[65] Ibid., pp. 195–196.〔同書、二二―二三頁〕

[66] Ibid., p. 197.〔同書、二五頁〕

［67］Ibid.〔同前〕
［68］Ibid., p. 199.〔同書、二九頁〕
［69］Ibid., pp. 242, 230.〔同書、一四五、一一一頁〕
［70］Ibid., p. 240.〔同書、一三九頁〕
［71］Derrida, "Letter," p. 5.〔デリダ「日本の友への手紙」九頁。［　］内の補足は、仏語原文に照らしてガシェが英訳の脱落部分を補ったものである。〕

訳註

［一］この事情にかんしては、高橋哲哉『デリダ——脱構築と正義』（講談社学術文庫、二〇一五年）における説明が簡潔にして要を得ていると思われるので、以下に引いておく。「ハイデガーは主著『存在と時間』（一九二七）などで、彼の求める根源的な「存在」経験を開示するために、古代ギリシャ以来の西洋形而上学の言説を批判的に解きほぐし「解体」するという哲学的作業を構想し、プラトン、アリストテレス、デカルト、カント、ヘーゲルなど、多数の哲学者について具体的に実践してみせた。デリダはこの試みを換骨奪胎し、その重要なモチーフを批判的に引き継いでいくのだが、そのさい「解体」の仏語訳として、「破壊」のような否定的ニュアンスの強いデストリュクション（destruction）を避けて、デコンストリュクション（déconstruction）を使ったのである。「デコンストリュクション」は、それまでフランス語の語彙としてはあまり一般的でなく、まれに文法や言語学の領域で使われていたにすぎなかった」（五五頁）。

［二］本文でも述べられるように、この「批評の諸言語と人間諸科学」というシンポジウムは、米国におけるフランス現代思想の大規模な受容の起点に位置するものとしてきわめて有名である。このシンポジウムのためにフランスから、ジャック・デリダ、ロラン・バルト、ジャック・ラカン、ルネ・ジラール、ジャン・イポリット、リュシアン・ゴルドマン、シャルル・モラゼ、ジョルジュ・プーレ、ツヴェタン・トドロフ、ジャン＝ピエール・ヴェルナンの一〇名が特別招待者として招かれた。のちにイェール大学を拠点に「脱構築批評」を領導

することになるポール・ド・マンがデリダにはじめて会ったのも、このシンポジウムにおいてである。

［三］ニュークリティシズム（New Criticism）とは、主に一九四〇年代から五〇年代にかけての米国で大きな影響力を持った批評の方法論である。クリアンス・ブルックスとロバート・ペン・ウォーレンの共著『詩を理解する』（一九三八年）がその発端のひとつであった。作品を作家の伝記的事実や社会的背景と照らしあわせながら読む旧来の方法論に異を唱え、各々の作品の自律性と精読（close reading）の重要性とを強調したことにその特徴がある。

［四］観念史（history of ideas）とは、一九二〇年代のジョンズ・ホプキンズ大学においてアーサー・O・ラヴジョイを中心とするグループが編み出した思想史の方法論である。ラヴジョイの『存在の大いなる連鎖』（一九三六年）が代表的な成果としてよく知られている。なんらかの観念（idea）を取り上げて（たとえば「存在の大いなる連鎖」という観念）、その生々流転の歴史を言語や領域の区別なくたどろうとすることが主な特徴である。

［五］パフォーマティヴ（performative）とは、英国の哲学者であるJ・L・オースティンが著書『言語と行為』（一九六二年）において言語行為（speech act）の分析のために造った形容詞であり、「行為遂行的」としばしば訳される。これと対になるのはコンステイティヴ（constative）であり、ふつう「事実確認的」と訳される。コンステイティヴな文（「机のうえにリンゴがある」など）はその内容に応じて真か偽に分類されるのに対して、パフォーマティヴな文（「私は今晩メールを送ることを約束する」など）は、それを通してなんらかの行為を行なうことに眼目があるため、分析のためには真偽以外の基準が必要になるとオースティンは言う。こうしたコンステイティヴとパフォーマティヴの区別が実は維持しがたいものであることをデリダが論じ、それに反駁するジョン・サールとのあいだで論争が巻き起こったことは有名である。詳しくは原註34に挙げられているデリダ『有限責任会社』を参照のこと。

［六］使用（use）と言及（mention）は、言語哲学においてしばしば用いられる区別である。たとえば「デリダ」

という名は、「デリダはフランスの哲学者である」という文においては使用されているが、「「デリダ」の文字数は三である」という文においては言及されている。ある語が使用される場合はその指示対象が問題となり、言及される場合はその語自体が問題となる。

［七］「括弧」の原語である brackets は［　］という記号を指し、「パーレン」の原語である parentheses は（　）という記号を指す。日本語で「括弧」と言うときはふつう後者を意味するが、現象学の文脈で言われる bracketing（ドイツ語では Einklammerung）の訳語として「括弧入れ」が定着していることを鑑み、本論文ではこのように訳し分けた。「逆カンマ」の原語は inverted commas であり、いわゆるクォーテーション・マーク（“　”）を指す。つまり英語においては逆カンマと引用符は同じ記号を指すが、たとえばフランス語では一般にギュメという記号（«　»）が引用符として用いられている。

［八］原註8において参照されている「新造語、新〜主義、ポスト〜主義、寄生およびその他の小さな地震現象についての、いくつかの声明と自明の理」のことを指す。

［九］フランス語の plus には、優等比較級をつくる「より多くの」（英語では more）という意味と、否定を強調する「もはや〜ない」（英語では any more）という意味がある。後者の場合は ne などの否定辞とともに用いるのが本来のルールではあるが、とくに日常語では ne はしばしば省略される。したがって引用中の plus de lumière は、「より多くの光」とも「もはや光がない」とも読める。

［一〇］引用中にある se というフランス語は、代名動詞をつくるための代名詞（再帰代名詞）の一種である。したがって引用中の se déconstruire は、déconstruire（脱構築する）を代名動詞化したものである。フランス語における代名動詞の主な用法は、再帰的用法（みずからを〜する）、相互的用法（互いに〜しあう）、受動的用法（〜される）の三つであるとされている。

［一一］哲学を意味する古代ギリシア語の φιλοσοφία が、文字どおりには知（σοφία）を愛する（φιλέω）ことを意味していたことがここでは念頭に置かれている。

II

判断（アーレント）と省察（ハイデガー）

4 思考の風

判断力への関心は、ハンナ・アーレントの著作において、現代の危機的な出来事に対する応答のなかで生じている。この能力は、答えと方向づけをもたらすための馴じみある基準とカテゴリーが無力になった結果、衰退してしまうことになった。これはたんに、現代のなんらかの出来事にかんする共通の基準が無力であるという問題だけでなく、これらの出来事がわれわれの慣習的な思考のカテゴリーと判断基準のすべてをもろともに破壊するほどまでに恐るべきものであったという問題でもある。しかしアーレントが一九五三年の「理解と政治〈理解することの難しさ〉」において、つまり全体主義についてのアーレントの著作〔『全体主義の起源』〕の出版から二年後に述べているように、「測定する物差しと、個物を包摂する規則をわれわれが失ってしまったとはいえ、始まりを本質とする存在者は、あらかじめ考えられたカテゴリーなしに理解し、道徳という一連の習慣的な規則なしに判断するのに十分な起源を、自分自身のうちにもつことができる」〔1〕。かくして判断の可能性は、現われの空間としての、つねに新しい始まりとしての世界のうちに現われる人間の生誕に本質上根ざしているのである。「自分自身のうちにもつ起源」、すなわち人間の「本質である始まり」のおかげで、人間はいかなる基準も不在であるなかで判断を下すことができる。そうした判断は、とりわけ〈世界と世界のうちで起こるもの〉と「人間の独創的な性格」[2]との一致にかかわっている。こうした理由からそれらの判断はまた、判断と通常呼ばれているものとはかなり異なる類いの判断でなければならないのである。

こうした点については以下で論じるように、アーレントの達成は、まさしく判断の問題系を公共的生の領域に内在的に結びつけたことである。アーレントの理解によれば、そのような公共的生とは、ギリシア人たちと同様まるごと政治的なものであり、たんに当該領域の内部で分化した特殊な活動という意味で政治的であるのではない。政治的活動としてのアーレントの判断力論は、カントが詳述した反省的美的判断力の助けを借りて概念的には展開されているが、その理論はまたアリストテレスのフロネーシス（賢慮）——つまりその目的が、一般に〈善〉そのものと対立させられた人間の〈よく生きること〉への偶然的関わりであるところの公共的な美徳——の観念を再活性化してさらに展開したものでもある。ピエール・オバンクが説得力ある仕方で示したように、アリストテレスは、そのように賢慮《フロネーシス》を理解することによって（プラトンが知識《エピステーメー》へ参照するものとしてその語を使用したことに抗して）、この語の通俗的な、大衆向けの、また前‐哲学的意味を復権させたのである。それと同時にアリストテレスは、人間の生の公共的かつ政治的領域に価値を与え直す[3]。アーレントはたんにアリストテレスの『ニコマコス倫理学』の洞察に沿ってカントの第三批判（『判断力批判』）を読み、アリストテレスに似たやり方で、アリストテレスの賢慮《フロネーシス》概念をモデルに、優れて政治的な活動としての判断についてのアーレントの概念をつくり出しただけではない。それだけでなく、アーレントは判断を、自身がカントに倣って——しかしある異なった意味で——共通感覚《センススコムニス》と呼ぶもののうちに基礎づけることで、判断の働きを、公共領域での人間の活動に結びつけもするのであり、それによって判断を、哲学が真理にかんしてもつ関心から根本的に峻別するのである。

この点を立証するためには、とりわけ私はカントのある区別に焦点を合わせなければならないだろう。すなわち、規定的判断と美的反省的判断のあいだの差異である。実際、アーレントがこの区別にこだわった主たる理由は、ただ美的判断のみが真正の判断であり、判断力の実例であると論じるため、さらには趣味判断のみが判断の政治的概念への道を開くのだと論じるためである。アーレントによれば、趣味判断のみが自由な判断を示す判断のひとつの類型を提供するのであり、それによって、公共的かつ政治的な領域を構成する現われの空間は、たんに労働と仕事の領域からのみならず、暴力に特徴づけられた政治的な公共空間からも根本的に区別できるようになるのである。規定的判断を縛っている拘束から自由である判断のみが、現われの空間のなかで、これらの現われの正誤を区別できる能力をもつことになる。

いまやアーレントが、判断というみずからの政治的概念にもっとも明確かつ入念に取り組んだ一九七〇年以降の『カント政治哲学講義』に向き合うことが適切なのだろう。しかしながらさしあたり私は、アーレントの未完の著作『精神の生活』だけを考察することにしたい。たしかにアーレントは、判断を扱うはずのこの著作の第三部を書き上げることができなかった。しかしわれわれのねらいにとっては、この著作のうちの「思考」について割かれた第一部が、多数の洞察と議論展開とをもたらしてくれるのであり、それらは、判断についてのアーレントのいくつかの諸前提を理解するためには決定的である。それに加えて、この著作が政治的というより哲学的であるとしても、第一部「思考」での判断についての諸見解によって、その内部にアーレントの判断力論が哲学的に位置づけられるところの輪郭＝概略を理解することもできるようになるのである。

もし完成していたならば第三部がどのようなものになっていたかということについての推測は多数存在した。とりわけロナルド・ベイナーが論じるところでは、第一部「思考」に付された「補遺」が明確に示していることは、一九七〇年からのアーレントの『カント政治哲学講義』は「「判断」の部をなすはずの十分に計画された構造を映し出している」ということである［4］。ベイナーによる評価には、多くの特筆すべき点がある。しかしながら、アーレントは「思考」の部において判断活動についての新たな多数の洞察を導入しているという事実に加えて、ベイナーはまた以下の事実を看過してもいる。すなわち、ここでのアーレントの判断力の扱い方は、政治的なものの外へと踏み出しながら、もはや、先立つ時期の判断活動についてのアーレントの解釈——もっとも政治的な活動としての判断という解釈——によってはおそらく統御できないものになっていただろう、という事実である［5］。実際、エリザベス・ヤング＝ブルーエルによれば、「『精神の生活』に取り組みはじめたときアーレントは、自分が「最初の情事」の相手、哲学に回帰しつつあると述べた」［6］。明らかに、人間の複数性の第一の様態である〈他者とともにあること〉を特徴づける労働・仕事・行為の諸活動とは異なり、この著作で研究されている三つの不可視の能力——思考・意志・判断——は、「人間の複数性の第二の様式、〈自己自身とともにあること〉にかかわる」だけではない。アーレントが「〈一者〉のなかの二者〔two-in-One〕」として特徴づけるものにおいて生ずるこれらの活動は、現われの領野への一定の関係を依然として受け入れもする[7]。精神の不可視の諸活動が現われの世界からの撤退において生ずるとしても、これらの活動は、ジャック・タミニオーが述べるように「沈黙の言論において表現され」なければならない。つまり「言語は精神を生き生きとしたまま保つのである。そしてこのようにして、精神は本質的に現われの世界に結びついている。たしかに精神の生活の不可視性は現われの世界からの撤退を含意するが、しかしそのような退却は現われとの断絶ではまったくない。それによって精神の生活が生きるところの言語は、現われとのこの結びつきが持続していることの証である」[8]。しかしながら、『人間の条件』で議論されている精神の諸能力がすべて活動的な能力である一方で、『精神の生活』で問題となっている諸活動は「人間の非‐活動的な〔nicht-tätigen〕活動」である[9]。その結果、アーレントの先立つ著作で当てはまるような仕方で、判断作用が政治的プロセスに実践的にかかわっているということはもはやない。たとえ『精神の生活』でアーレントが、現われと現われることとの公共的かつ政治的な空間における卓越した活動として判断をもはや解釈せず、それを非‐活動的な活動として特徴づけているとしても、それにもかかわらず、判断についてのいっそう哲学的指向をもついくつかの詳述を助けとするならば、いかにして判断が精神の他の諸活動に結びついているかだけでなく、判断力というこの能力がいかなる特種性と独自性とをそなえているのかをより良く理解することができるようになるのである。

アーレントが、自身の最後の著作で理性〔Vernunft〕と悟性〔Verstand〕を区別して論じているように、カントは「二つのまったく異なる能力、つまり思考と知ることを、そして二つのまったく異なる関心事、つまり意味〔第一のカテゴリー〕と認識〔第二のカテゴリー〕を」区別した[10]。しかしアーレントが主張するところでは、カント自身は、みずからの思考が含意するものを突き詰めることはけっしてしなかったのであり、したがって、思考を認識から分離することで彼が実際に達成していたことについて「まったく気づかない」ままであった[11]。アーレントによれば、理性の反省を、不可知の伝統的な主題内容〔すなわち、神、魂、不死についての究極の問い〕に制限することでカントが示していることは、カントが「思考する能力たる理性をどれほど解放したか」自身は気づいておらず、そして信仰のために余地を与える〔カントが考えていたように〕代わりに「カントは〔実のところは〕思考のために余地を与えた」ことを気づいていなかったということである[12]。思考することと理性がかかわるものは、悟性がかかわるのとは別のものなのであり〔14／一八〕〔一〕、また思考の及ぶ範囲は究極の問いのそれよりもはるかに広いのである。

カントが認識と思考のあいだのみずからの区別がもつ根本的含意を追究しなかったということ、また「これらのまったく異なる諸様態のあいだの截然とした境界線」〔58／六八〕のようなものは哲学史の全体において〔カントを除いては〕見つからないということ、そしてしたがって、思考することについてのカントの理解はまったく新しいものである――哲学的思考そのものとの完全な断絶ではないとしても――ということ、そうしたことの主張に加え、アーレントはまた、不可知のものを思考することとしてカントが思考に与えた特徴を拡張することによって、思考が、いかなる認識論的意味においてもまったく答えられないもろもろの問いを提起するということを示唆している[13]。「理性概念は概念的に捉える（begreifen）のに役立ち、悟性概念は知覚を了解する（verstehen）のに役立つ」というカントの言明を引用し、アーレントは、思考の目標は所与のものの真理というより、その意味を探求することであると論じる[14]。しかし、われわれが認識しようと欲することから提起される問いのすべては答えることが原則的に可能である一方で、「思考によって提起される問い、またそれを問うことが理性の本性であるところの問い——意味についての問い——は、常識《コモンセンス》とその精緻化——科学と呼ばれる——によっては答えることができない」。そしてアーレントは次のように付け加えている。「意味の探求は、常識と常識的推論にとっては「無意味なこと」である」[15]。かくしてわれわれは、アーレント自身が思考と呼んでいるもの、つまり認識的なものから完全に解放された能力と精神活動を、もっと仔細に見てみなければならず、またそのような截然とした区別を強いてくるものを精査しなければならないだろう。

現われの世界からの撤退（観察者性）、無音の対話における「〈一者〉のなかの二者」、感覚からの離脱という想像力の天分、思考の諸対象の不可視性、これらは、それ自身のうちにみずからの目的をもつ活動としての思考の不可視の活動が、そのもとに生じうるところの諸条件である[16]。ならば問い尋ねてみよう、何のうちにこの思考は存するのだろうか。

アーレントにとってはとりわけソクラテスの例がここでは意義深い。哲学者でもソフィストでもなく、「ソクラテス、ハエのようにうるさくつきまとう者、産婆、痺《しび》れエイ」は、人々に彼らの予断を吟味するよう駆り立て、思考させ、彼らから「臆見」を取り除く〔17〕。アーレントはこう書いている、「こういう不可視の性質があるからこそ〔つまりそれが思考である〕、言語という思考の媒体によって思想へと凍結されたもの――言葉（概念、文、定義、学説）――をほどいたり解凍したりできるのである」〔18〕と。その結果、「思考は必ず、善悪にかんする既成の基準、価値、尺度に対して、つまり道徳や倫理において扱われる行動習慣や行動規則に対して、破壊的で地盤を掘り崩す効果をもつ」〔19〕。それだけではない。思考のこの破壊的効果は、アテネの人々がソクラテスに対して言ったように転覆的なだけではなく、人々がみずからの位置を把握するための既成の諸記号のすべてをハリケーンのように一掃する点で〔178／二〇六〕、痺《しび》れさせ麻痺させる効果をもつ。このような理由でこそ、アーレントは思考することを風になぞらえるが――「思考の風」――、それは、言語によって差し押さえられた思考の構築物、また習慣的な道徳形式ないし消去不可能な真理へと変えられた思考の構築物のすべてを吹き飛ばすような風である。風としての思考という、この際立った詩的表現――アーレントはこれを、当該の精神活動の非物質性と不可視性のゆえに不可避なものとみなすのだが――は、思考にかんしてなにか本質的なことを指摘している。あたかもアーレントがこう述べているかのようである。風を思い浮かべてみよ、その迅速さを、その破壊的な吹き荒れについて思考をめぐらせてみよ、そうすれば思考するとはどういうことかがわかるだろう。

『精神の生活』の第一部「思考」においてアーレントはこう書いている、「心理学的に言えば、思考の際立った特徴のひとつは比較を絶するほどの迅速さである。「思考のように迅速だ」とホメロスは言い、カントは初期の諸著作でくり返し「思考の迅速さ〔Hurtigkeit des Gedankens〕」について語っている。思考は明らかに迅速である。なぜならそれは非物質的であるからだ」[20]。アーレントが『イリアス』を引き合いに出すのは、「海上でいくつかの方向から風が一緒になって急襲すること」[21]を表現するその隠喩的な潜勢力のためである。そもそも「思考の風」という表現は、不可視のものを扱う思考の能力を説明するためにソクラテス自身が用いたメタファーである。クセノフォンによれば、ソクラテスは「みずからの企てが不可視のものを扱っているということを十分承知して」おり、「風そのものは不可視であるが、風がしていることはわれわれには明白であって、風が近づいているということをなんとなく感じとっている」[22]と述べたという。アーレントが指摘するように、「風のように迅速な思考」と同じイメージは、ソフォクレスの『アンティゴネー』のうちに、また「思考の嵐」にしばしば言及するハイデガーのうちに見いだすことができる。ハイデガーは『思惟とは何の謂いか』でソクラテスを直接話題にするさいに、「生涯を通じて、死の瞬間にいたるまで、ソクラテスが行なっていたのはただひとつ、この風のなか、(思考の)流れのなかに自身を置くことであり、身を置きつづけることであった」ということを強調している[23]。実際アーレントが指摘するように、「この思考の不可視の風は、ソクラテスが吟味した概念や徳や「価値」のうちに現われる」だけでなく、またとりわけ、そうした不可視の概念や徳や価値が、行動の方向性を定める指針へと凝り固まってしまうまさにその瞬間に当の風がそれらを解除するということのうちにも現われている[24]。アーレントは書いている、「もし行為というものが、日常生活で個物の事例が立ち現われるさいにそれに一般的行動規則を適用するということに存するならば、いかなる規則も思考の風に対してはもち堪えられないゆえに、自分が麻痺したように感じられるのである」[25]。いかなるものも、そして「自身の、以前に現われたさいのさまざまな姿」さえも疑問に付さずにはおかないこの思考の風は、究極的には、思考を、当の活動自体が目的であるところの自律的能力へと変えるものである[26]。実際に『気象論』におけるアリストテレスの見解――アーレントはその箇所に気づかなかったようだが――によれば、幾人かの画家たちは、風を「その源をそれ自体から汲みとる」もの、あるいは「自己発生的」なものとして表象する[27]。これと同じ仕方で、思考の風はみずからの内部からくるその破壊的効果を解放し、かくして思考を完全に自律的活動にする。凝り固まった思考として世界で行動の方向性を定めている慣習的基準のすべては、それ自体のために制定され、それ自体の目的となるとき、つまり認識から解放されるとき、解きほぐされ、要するにあらためて問いに付せられる。風の動きは、ヘーゲルによれば、海の水を扇動し、停滞と腐敗を防ぐと言われている[28]。その動きに似ていなくもない仕方で、思考の風の動きはまた思考が惰性に陥るのを防ぐのである。

カントが理性を解放し、「この能力とこの活動を、いかなる「積極的」成果をもたないにもかかわらず正当化した」のであれば、思考の破壊的風はどのようにして意味に対する思考の関心にかかわっているのか、という問いが生じることになる[29]。この風は、ありうべきあらゆる意味をあっさりと吹き飛ばしてしまうのではないか。アーレントが述べるように、「意味の探求は、容認されたすべての教義や規則を容赦なく解消してあらたに吟味する」[30]。いかなる確定的な答えも思考活動からは出てこないがゆえに、意味の探求はけっして終結しない。しかしながら、思考によるこの探求は、思考の解きほぐしとその批判力の再燃とに緊密に結びついているというだけでなく、また思考の批判的活動それ自体が生に意味を与える当のものだということにもなる。そしてそうした生は、意味の探求に対するいかなる定まった答えも容赦なく解消することで、それこそがまさに意味（Sinn）の探求に対する答えだということにもなるのである。アーレントが記すように、ソクラテスは、批判的吟味を確たる結果のうちで休息させることに対して抵抗したが、それは「吟味されない生など生きる価値がない」という彼の確信に基づいていた[31]。

　この局面において以下のことを想い起こそう、すなわち、『精神の生活』でのアーレントの議論は、思考能力の自律を支持するためのみならず、意志と判断との自律を支持するためであるということを。アーレントはこれらの精神的諸能力すべての十全な独立を主張するのであり、この主張のゆえにひとつの付加的問題が立ち上がることになる。この問題は、アーレントのカント講義のうちに同じ仕方で見いだしうるものではない。すなわち、これら基本的な精神的諸活動の相互作用という問題である。アーレントはこれら諸活動を「基本的」と形容するが、それは「それらが自律的だからである。それら諸活動の各々が、その活動そのものに固有な諸法則に従っている」[32]。それらが自律しているということは、それらの本質的な多数性を指し示すものである。さらに、「精神的諸活動の自律は［…］それらが無条件的であることを含意する。生活の、ないし世界のいずれの諸条件もが、それら〔精神的諸活動〕に直接に対応することはない」[33]。結局、「三つの基本的な精神的諸活動は［…］それぞれ互いに他のものから導き出すことはできず、たとえそれらが何らかの共通の特徴をもっているとしても、それらを或る共通の分母に還元することはできない」〔34〕。

以下の考察において、私は思考と判断の相互関係のみに関心を寄せることにしたい。判断の自律を主張しながらも、しかしまた冒頭からアーレントが示唆していることは、「正誤を区別する能力」、要するに判断する能力が、思考能力と結びついているということ、つまり、思考の破壊的風に、そして意味の探求、より正確には、容赦ない批判的警戒をもつ生の探求に結びついているということである〔35〕。事実、通りがかりの指摘のうちにもはっきりと言われているのは、意志と同じ仕方で判断が、思考の反省に追いつかれることはなくとも、「それら〔意志と判断〕の対象についての思考の先行的反省に依存している」〔36〕ということである。しかしわれわれはこの依存をどのように思い描くことができるのだろうか。

たとえ思考によって世界からの撤退が必要になるのだとしても、思考は「思考の浄化成分」のおかげで「意味合いとしては政治的」である、と『精神の生活』でアーレントは主張している。そしてこう付け加える。まさしく「この破壊は別の能力を、つまり或る理由から人間の精神的諸活動のなかでもっとも政治的なものと言われる判断力を、解放する効果をもつ。個物を一般的規則のうちに包摂することなしに判断するものこそ、この能力である。他方で一般的規則は教え込まれ学ばれることで習慣へと変わり、やがて他の規則と習慣に取って代わられる」〔37〕。「これは誤りだ」や「これは美しい」と述べる能力は、たしかに思考能力と同じものではない。というのも、「思考は不可視のものを扱い、不在のものを表象するが、判断はつねに個物と身近なものにかかわるからである。しかし「アーレントの主張によれば」この二者は相互に関係し合っている」[38]。思考は不可視のものを扱うが、判断は、聞かれ見られるために公共的かつ政治的空間の光のなかに輝き出てくる現われにかかわる。思考は不可視の空間において、凝り固まった思考と化したすべての普遍的なものを解除するように働き、そして判断は、感性的経験のうちにある個物について判定を下す。とはいえ、二つの自律的な精神諸活動の相互関係をそれ自体として詳述する以前に、『精神の生活』でアーレントが構想していた判断の概念についていくつかの指摘をすることが先決である。

アーレントによる判断の特徴づけから明らかなように、思考の浄化成分によって解放される能力としての彼女の判断力論は、その基礎をもっぱら第三批判の読解のうちにもつ。「カントは偉大な哲学者たちのうちで、判断を基本的な精神諸活動のひとつとして扱った最初にしていまだに最後の人物である」[39]とアーレントは『精神の生活』で力説している。実際に、「思考」と題された『精神の生活』第一部への「補遺」においてアーレントは、「カントの『判断力批判』以前には[判断力は]主要な思想家の主要な主題になっていなかった」と主張する[40]。「文化の危機」のアーレント自身によるドイツ語訳では彼女は、実のところ、カントが判断力を発見した最初の人物であると言及するまでにいたっている。アーレントの主張によれば、カントは「趣味の現われと趣味判断に出会ったとき、判断力をそのすべての遠大さにおいて発見した」[41]。判断への関心は、哲学のほとんどすべてを形づくると主張できるとしても、しかしまた、判断力が哲学の伝統において思考・理性・意志などの他の諸能力と同程度の注目を浴びることはなかったということも確かである。カントこそが、精神のこの力にもっとも特有の規定を与えたのである。それにもかかわらず、以下のことを想い起こすならば、アーレントの主張はいささか困惑させるものである。すなわち、判断にかんして言えば、アリストテレスによる三段論法の定義、あるいは発想《インウェンティオ》と判断《ユディキウム》というキケロ以来の由緒ある修辞学の諸概念（しかもこれらは、規定的判断と反省的判断を区別するカントにとってのモデルであったと思われる）、そして、バルタザール・グラシアン（彼は「趣味」という語を案出した）から、シャフツベリ伯爵とアレクサンダー・ゴットリープ・バウムガルテンを経て、ゲオルク・フリードリッヒ・マイアーにいたるまでの趣味についての数々の考察を想い起こすことができるからである。判断力の第一発見者としてのカントという、一見誇張された主張をアーレントが行なった理由が見えてくるのは、『カント政治哲学講義』において彼女が、「十八世紀全体を通じて好まれたトピックである趣味のその背後に、カントはまったく新しい人間の能力、つまり判断力を発見した」と提起するときである[42]。換言すれば、カントが判断を発見した最初の人物であるのは、彼がこの能力を趣味の背後に見いだしたかぎりにおいてなのであり、その能力は趣味の能力それ自体と混同されるべきものではないのである。もちろん、アーレントは正当にも趣味判断は判断力それ自体とは異なると示唆している。事実、カントによる判断力の批判的探究は、この力自体をそれとして主題化することで直線的に進んでいくということはない。それどころかカントが当該の力を解明するのは、諸事例を用いてであり、とりわけ、そのまったき特種性における趣味判断を通じてである。だが、趣味判断がどれほど重要であろうと判断力の唯一の実現形態であるとすれば、判断力それ自体は、ある意味で趣味判断の背後に位置していると言うことができる。しかしアーレントの要点はまた、カントが趣味能力の背後に発見したものはたんに判断力一般ではないというものでもある。その反対にアーレントが主張しているのは、趣味判断を吟味することによってその背後にカントがそれと知らずに再発見したのは、アリストテレスの賢慮《フロネーシス》の観念以来哲学が見失っていた能力であるということである。問題となっている倫理的および政治的な徳は、公共領域における一定の目的を達成するための人間の能力のうちの最良の手段にかんして、いかなる選択ないし決定（プロアイレシス〔προαίρεσις〕）をなすべきかをよく熟慮する能力のことである。プロアイレシスは、絶対的というより相対的な選択であり、公共的事象の領域において人間に可能な善のみにかかわり、より悪くないものを目指す。アリストテレスはこの概念を、ソクラテスとプラトンの選択の概念から明確に区別しつつ、この語の通俗的な使用法に訴えることにより、賢慮《フロネーシス》を理論化する文脈において展開したが、プロアイレシスというこの根本概念は、カントが現われるまでその後の哲学史のなかで継承者をもたないままであった。それと同様に、判断を認識活動というより政治的活動として見いだしたというカントの発見は、アーレント自身が暗示するように、その後、彼女がカントを再発見するまでいかなる成果ももたらすことがなかった〔43〕。いまや以下のことを特筆することが肝心である。すなわち、アーレントが、カントの美的判断力の錬成に基づいて判断力を政治的と形容し、しかし両者を混同ないし台無しにすることなく判断力論を展開するさいに、判断は「論理的操作とまったく共通点をもたない」のであり、さらに個物の事例を所与の一般的概念のうちに包摂することともまったく共通点をもたないのである［44］。換言すれば、アーレントが理解する判断とは、カントにおいて規定的判断の役割をなすものとは明確に区別されるのであり、この役割は、「反省的判断」（趣味判断であれ、目的論的判断であれ）とカントが呼ぶものと対立している。たしかに判断活動を特徴づけるのは、それが普遍と個物を一緒にもたらすという点だが、しかしこの結びつきを達成するには二つの方法がある。ひとつは或る厳密な意味での判断であり、もうひとつはそうでないものである。アーレントはこう書いている。「判断［…］、すなわち、精神の神秘的資質は、それによって、つねに精神的構成物である一般的なものと、つねに感性的経験に与えられる個別的なものとが、一緒にされるところのものであるが、それは或る「特有な能力」であり、けっして知性にあらかじめそなわっているものではなく、そのことは「規定的判断」――そこでは個物が推論の形式で一般的規則のうちに包摂される――の場合でも同様である。なぜなら、いかなる規則もその規則の適用に対しては有効ではないからだ」［45］。個物にかかわる判断にとって規則の不在が何を意味するのかということについてここで検討することはできないので、さしあたり以下のことを強調するにとどめよう。すなわち、アーレントにとってこの不在が指し示している事実とは、判断が自律的能力だということであり、このことは、一般から個物へ下降せず「個物から［…］普遍へ」上昇する「反省的判断」の場合には明らかである」［46］。個物から、見いだされるべき普遍へのそのような上昇があるときにのみ、「すべてに当てはまるいかなる規則もなしに」ひとつの決定が生起するのであり、このことが真にそうであるところの判断を構成する［47］。このような場合にのみ、とりわけ判断に負っている手口〔modus operandi〕

について、ひとは語ることができるようになるのである〔216／二四九〕。

『精神の生活』でアーレントは、カントが理性と思考を、悟性と認識から解放したことを論じているが、それと同様に、カントが趣味判断の名目のもとに達成したのは、推論的論理ないし規定的判断から判断力を完全に解放したことであると彼女は考えている。実際アーレントの考えるところでは、カントは認識から思考を解放することによって、同時に判断をその認識の軛から自由にしたのであり、はじめて判断を固有の手口をもった自律的能力として承認したのである。認識からの思考の解放の結果として判断が自律を獲得するかぎりで、判断は「思考の解放的効果の副産物」である。いっそう正確に言えば、思考は、みずからの解放の過程で判断を自由にすることによって「みずからを現実化し、思考は独りでいることなくいつも忙しくて考える暇のない現われの世界のうちに姿を現わす。思考の風が顕現するのは認識としてではない。それは正誤を区別し、美醜を区別する能力としてなのである」〔48〕。したがって判断は、思考の風の顕現であり、現われの世界のなかでのその現実化ないし現勢化である。判断は、次のような思考の風を伴わずにはいないのだ。すなわち、すべての既-成の基準ないしカテゴリー、すべての予-断を無効にすることによって、判断に先-行し、判断をあらかじめ準備する（しかしそれを予期ないし予-示することがない）という思考の風を。

しかし、判断に対する思考のそのような先-行とあらかじめの準備は、前-提の秩序、つまり判断の前に置かれた、ないし下に置かれた同質的な可能性の条件の秩序には属さない。判断はしたがって、自律的で、完全に自発的な精神活動でありつづける。それは思考の風そのものではなく、ただその顕現であり、つまり現われの領域におけるその現われにすぎない。判断は思考と混同されるべきではない。というのは思考の領域は、思考が不可視のもの（普遍、本質など）のあいだを動くゆえに、感性的現われの世界ではないからである。そのような世界はまたアーレントが活動と呼ぶものの領域でもある。活動と同様に、判断はつねに「個物を扱い、そして倫理ないし政治の領域においては個別的言明のみが有効なのである」[49]。判断活動の精神的形式である自律は、判断が厳密に個物にかかわることを要求する。言い換えれば、それを包摂するためのいかなる諸概念もあらかじめ与えられていないような諸事物にかかわることを要求する。アーレントにとっては、概念が与えられるところでは、もはや個別的なものは個物ではない、あるいはいまだ個物ではない[50]。その結果、認識的な判断様式で個別的なものにかかわる場合には、アーレントの理解では、厳密にはそれはそもそも判断を下すという行為にいたっていないことになるだろう——もし本当に判断というものが個物のために普遍を見いだすということに存するならば。活動の問題でも当てはまることだが、「実践的‐政治的問題がつねに個々のものにかかわる以上、この問題に普遍を［…］探し出そうとするのは大きな間違い」でさえあるだろう、とアーレントは断言する[51]。

　判断が個別的なものに対してもつこの内在的結びつきに、しばらくのあいだとどまろう。判断と個別的なものとのあいだのこの結びつきは、カントの反省的判断力と共鳴しているだけでなく、個別的なものの現象についてのアーレントの理解に基づいてもいる。アーレントがくり返し述べるように、個物は感性的なものの秩序に属している。それは（思考の不可視のものと対照的に）みずからを感性に差し出すなにかである。かくして個別的なものは現われの秩序に属している。もろもろの個物は、視界に突如現われ、あるいは自身を聞かれるようにし、不意に到来し、斬新さの感覚をもたらし、したがって自身を優れて現われであるものとして顕現させるような、そうした感性的現われなのである。しかしながら、個物は現われとして、たんにそれが示す世界が美しいか醜いか、善か悪かということだけでなく、また、そもそもそれが唯一の世界の顕現であるかということについても判断されることを要求する。人間たちが相互に働きかけ合うための世界を構成する狭間という空間のただなかで、個物についてのそうした判断は、観察者としての審判者〔判断者〕が撤退ないし離脱することを要求する――すなわち「世界のうちでの〔観察者の〕立ち位置によって、またそこで〔彼ないし彼女が〕担う役割によって、直接に与えられるがままの利害関心への関わりおよびその偏りからまったく「不自然な」までに自覚的に撤退すること」を要求するのである[52]。そのような判断は、唯一の世界で個物が現勢化することを公共領域での顕現として評価するけれども、そのような判断それ自体もまた、世界としての現われの空間における現われなのであり、そしてそのようなものとして、やはりつねに個別的なのである。観察者の究極的決定が、なんらかの個別の行為や言葉がもつ世界-性格にかんして、つまりそうした行為や言葉がいかに範例的な仕方で世界を実現するのかにかんして下されるのだとしても（その判断はそうした仕方で「普遍」としての世界そのものにかかわるのだが）、それはひとつの判断としてある有限な判断にとどまるのであり、批判的に問い質されることを無限に呼び求めるのである。

思考は意味の探求である――つまり、答えられない問いに対する答えの探求である。しかしそれはまた、思考の風ゆえに、思考それ自体が永遠に答えられなくしてしまうような探求でもある。まさしくみずからが織り上げたものすべてを解きほどくことによってこそ、思考の批判的探究の活動はそれ自体で有意味な活動になるのであり、意味の探求に対する究極の応答になるのである。アーレントが述べるように、思考による意味への探求は、たんに「人間の日常的営みの流れのなかには不在であり、なんの役にも立たず」、「しかもその成果は曖昧で確かめようがない」だけでなく、しかしまた「思考はどういうわけか自己破壊的でもある」。アーレントはこう続けている。

> カントは遺稿として出版された草稿で、ひそかにこう言っている。「もし、純粋理性を使用して何かが証明され、その結果が、あたかも確固たる原則であるかのように、疑問を差し挟むべきではないとされるならば、そうした規則を私は承認しない」。また「一度何かに確信をもったならば疑ってはならない〔…〕という意見に私は与しない。純粋哲学においては、それは不可能なことだ。そのようなことに対してはわれわれの精神は自然に反発する」（強調はアーレントによる）。ここから帰結することは、思考の営みはペーネロペーの織布に似ている、ということだ。つまり前夜に終えたものは毎朝ほどかれる。思考への欲求はいわゆる「賢者」の明確な洞察によって鎮められることはない。それは思考によってのみ満たされるのであり、そして昨日私がした思考が今日この欲求を満たすのは、ただ私がそれを新たに思考することを望み、また新たに思考することができる、というかぎりでのことである。［53］

もう一度、そうした不可視のものを織り上げてはすぐに解きほどくことからなる思考の風と、アーレントが判断ということで理解しているものとのあいだの関係へと戻ろう。この風の結果として思考は、認識から解放され、普遍ないし本質のようなすべての固定的な基準を失う。その結果、この解放の副産物として自己自身の自律を達成した判断は必然的に、個物に対して決定を下すにさいして個物のための普遍を見いださねばならないような能力になる。思考の風の顕現によって「形而上学的前提と偏見のうちにあまりに堅固に根ざしているわれわれの慣習的な判断基準」のすべては解消され、判断力はそれらを所与として当てにすることができない[54]。こうした徹底的に批判的かつ破壊的な思考の達成から帰結するのは、アーレントの理解する判断力が、カント自身のいかなるものとも直接には同一視されえないような判断力の新たな概念だということである。カントは、判断力のこの着想の相貌のうちに自分自身を認めることはなかったであろう。事実、反省的判断力とは、そのうちでアーレントがこの新たな判断力の観念を展開する文脈にすぎない。しかもカントの反省的判断力が見いだす普遍は、判断力が、急襲する思考の突風のなかで見いださなければならない普遍と同じものではない。思考の風から帰結する判断力は、たんに判断力の新しい着想ではない。それが判断として必然的に個物を扱うかぎりで、それゆえ、思考の風によって吹き飛ばされてしまう以上いつもは重用されてきた形而上学的一般性を頼りにすることができないというかぎりで、判断力は、個別的なものを普遍的なものと一緒にもたらすことを可能ならしめる普遍を、あたかもはじめてであるかのようにしてつねに見いださなければならず、そしてそのようにして、あらかじめ所有する規則なしにひとつの判断を実行しなければならない。したがって判断とは、包摂の操作というより、見いだすことの秩序、そして識別ないし決定の活動の秩序に内属しているのである。趣味判断がこうした新たな判断力の着想のモデルになるとすれば、それは趣味判断がある直接的な仕方で識別すること、端緒から決定することだからである。アーレントはこう書いている。「実際、思考の意味するところは、人生で困難に直面するそのつど、あらためて決心せねばならないということである」〔55〕。実際にはこの一節が言わんとしていることは、個物を判断することにあってはいかなる判断もあたかもそれが最初で最後の判断であるかのように遂行されなければならない、ということである。それが最初であるのは、そのための規則を見いださねばならないからであり、それが最後であるのは、人生の他の場面で困難に直面するさいには、これと同じ規則をたんに頼りにすることはできないからである。

ひとは、思考の風に全面的に曝されるなかで「形而上学的前提と偏見のうちにあまりに堅固に根ざしているわれわれの慣習的な判断基準」をはぎ取ることによってのみ、推論的様態から離脱したところで個別的なものがまさにその還元不可能性において判断を呼び求めるような判断力の着想を期待することができる。そのような個物が要求するのは、ひとつの普遍が見いだされるということ、当の個物の生起する出来事によってしるしづけられたその唯一の現われのために普遍が見いだされるということである。個別的なものそれ自体は、そのためにのみ新たに下されるべき判断によって発見されることを呼び求めている。アーレント自身が用いる言葉ではないが――彼女は「範例的」普遍という言い方をしている――私はさしあたりこれを次のように呼ぶことを提案したい。すなわち、ひとつの特異な単独的普遍《シンギュラー ユニヴァーサル》、いかなる所与の普遍もそのためのモデルとして役立ちえないかぎりで、無限に特異な単独的普遍、と。

原註

［1］Hannah Arendt, "Understanding and Politics (The Difficulties of Understanding)," in *Essays in Understanding 1930–1954: Formation, Exile, and Totalitarianism*, ed. J. Kohn (New York: Schocken Books, 1994), p. 321.〔ハンナ・アーレント「理解と政治（理解することの難しさ）」『アーレント政治思想集成2――理解と政治』J・コーン編、齋藤純一・山田正行・矢野久美子訳、みすず書房、二〇〇二年、一四〇頁〕

［2］Ibid.〔同頁〕

［3］Pierre Aubenque, *La Prudence chez Aristote* (Paris: Presses Universitaires de France, 1963), pp. 23–24.

［4］Ronald Beiner, "Judging in a World of Appearances: A Commentary on Hannah Arendt's Unwritten Finale," *History of Political Thought*, vol. 1, no. 1 (1980), p. 128.

［5］判断の本性についてのさらなる洞察については、とりわけ以下を参照せよ。Hannah Arendt, *The Life of the Mind, One/Thinking* (New York: Harcourt Brace Jovanovich, 1978), p. 95.〔ハンナ・アーレント『精神の生活（上）第一部／思考』佐藤和夫訳、岩波書店、一九九四年、一一一―一一二頁〕

［6］Elisabeth Young-Bruehl, *Hannah Arendt: For Love of the World* (New Haven: Yale University Press, 1982), p. 327.〔エリザベス・ヤング・ブルーエル『ハンナ・アーレント伝』荒川幾男・原一子・本間直子・宮内寿子訳、晶文社、一九九九年、四三六頁〕

[7] Ibid., p. 327.〔同書、四三六頁〕

[8] Jacques Taminiaux, "Le temps et les tensions internes de la vie de l'esprit," in *Sillages phénoménologiques: Auditeurs et lecteurs de Heidegger* (Brussels: Ousia, 2002), p. 111. 私がここでしている問題提起とはいくらか異なった仕方だが、アーレントの『精神の生活』における判断の主題を論じている箇所として、pp. 128–130を参照。

[9] Hannah Arendt/Martin Heidegger, *Briefe 1925–1975 und andere Zeugnisse* (Frankfurt/Main: Klostermann, 1999), S. 208.〔ハンナ・アーレント、マルティン・ハイデガー『アーレント＝ハイデガー往復書簡——一九二五—一九七五』大島かおり・木田元訳、みすず書房、二〇〇三年、一七一頁〕

[10] Hannah Arendt, *The Life of the Mind, One/Thinking*, p. 14.〔アーレント『精神の生活（上）第一部／思考』一七—一八頁〕

[11] Ibid.〔同書、一八頁〕

[12] Ibid.〔同頁〕

[13] Ibid., p. 58.〔同書、六九頁〕

[14] Ibid., p. 57.〔同書、六八頁。『純粋理性批判』B367〕彼女の母語で書かれたこのテクストにおいて、アーレントは、命題の指示対象を指し示すBedeutung ないし meaning〔意義〕より、Sinn ないし sense〔意味〕について語っている。

[15] Ibid., pp. 58–59.〔同書、六九頁〕

[16] Ibid., p. 129.〔同書、一四九—一五〇頁〕

[17] Ibid., p. 173.〔同書、二〇〇—二〇一頁〕

[18] Ibid., p. 174.〔同書、二〇二頁〕

[19] Ibid., p. 175.〔同書、二〇三頁〕

〔20〕 Ibid., p. 44.〔同書、五三頁。なお引用文中、一番はじめの「迅速さ」の語にアーレントが付した強調を引用者は外している。〕

〔21〕 Ibid., p. 106.〔同書、一二四頁。アーレントはここで註を付して『イリアス』IX、一一八を参照している。ホメーロス『イーリアス（上）』呉茂一訳、平凡社ライブラリー、二〇〇三年、三三五頁〕

〔22〕 Ibid., p. 174.〔同書、二〇一頁〕以下も参照。Xenophon, *Memorabilia*, trans. A. L. Bonnette (Ithaca: Cornell University Press, 1994), p. 127.〔『ソクラテスの思い出』IV、iii、一四を参照。クセノフォン『ソークラテースの思い出（改版）』佐々木理訳、岩波書店、一九七四年、二〇一頁〕

〔23〕 Ibid., p. 174〔同書、二〇一―二〇二頁〕。以下も参照。Martin Heidegger, *What is Called Thinking?*, trans. J. Glenn Gray (New York: Harper & Row, 1986), p. 17.〔Martin Heidegger, *Was heißt Denken?* (Tübingen: Max Niemeyer, 1961), S. 52／マルティン・ハイデッガー『ハイデッガー全集 別巻3――思惟とは何の謂いか』四日谷敬子、ハルトムート・ブフナー訳、創文社、一九八六年、七四頁〕

〔24〕 Ibid., p. 174.〔同書、二〇二頁〕

〔25〕 Ibid., p. 175.〔同書、二〇三頁〕

〔26〕 Ibid., p. 175.〔同書、二〇二頁〕

〔27〕 Aristotle, *The Complete Works*, ed. J. Barnes (Princeton: Princeton University Press, 1984), vol. I, p. 570; Aristotle, *Meteorologica*, trans. H. D. P. Lee (Cambridge, MA: Harvard University Press, 1962), p. 91〔『気象論』三四九bを参照。アリストテレス『アリストテレス全集6――気象論／宇宙について』三浦要・金澤修訳、岩波書店、二〇一五年、三八頁〕。同様の論点は、アリストテレス『動物運動論』でも述べられており、そこでアリストテレスは画家たちがボレアスを「自分自身から風を吹かせる」ように描くと述べている（Aristotle, *The Complete Works*, p. 1088.〔『動物運動論』六九九aを参照。アリストテレス『アリストテレス全集9――動物運動論／動物進行論／動物発生論』島崎三郎訳、岩波書店、一九六九年、五頁〕）。

[28] ヘーゲルは、人々が衰弱と堕落に陥るのを防ぐような、戦争の活性化する諸力の例証として風のイメージを用いている。以下を参照。Gottfried Wilhelm Friedrich Hegel, "Über die wissenschaftlichen Behandlungsarten des Naturrechts ...," *Jenaer Schriften (1801–1807)*, *Werke in zwanzig Bänden*, Bd. 2, (Frankfurt/Main: Suhrkamp, 1970), S. 482.〔G・W・F・ヘーゲル『近代自然法批判』松富弘志・国分幸・高橋洋児訳、世界書院、一九九五年、六二頁〕

[29] Arendt, *The Life of the Mind, One/Thinking*, p. 63.〔ハンナ・アーレント『精神の生活（上）第一部／思考』七五頁〕

[30] Ibid., p. 176.〔同書、二〇四頁〕

[31] Ibid.〔同頁〕

[32] Ibid., p. 70.〔同書、八二頁〕

[33] Ibid.〔同書、八三頁〕

[34] Ibid., p. 69.〔同書、八一頁〕

[35] Arendt, *The Life of the Mind, One/Thinking*, p. 13.〔アーレント『精神の生活（上）第一部／思考』佐藤和夫訳、岩波書店、一九九四年、一六頁〕

[36] Ibid., p. 92.〔同書、一〇八頁〕（強調は引用者）

[37] Ibid., pp. 192–193.〔同書、二二四頁〕

[38] Ibid., p. 193.〔同書、二二四頁〕

[39] Ibid., p. 95.〔同書、一一一頁〕

[40] Arendt, *The Life of the Mind, One/Thinking*, p. 215.〔アーレント『精神の生活（上）第一部／思考』二四八頁〕

[41] Hannah Arendt, *Zwischen Vergangenheit und Zukunft. Übungen im politischen Denken*, Vol. I (Munich: Piper, 2000), S. 299; Hannah Arendt, *Between Past and Future: Eight Exercises in Political Thought* (Harmondsworth : Penguin Books, 1987), p. 221.〔ハンナ・アーレント『過去と未来の間——政治思想への八試論』引田隆也・

齋藤純一訳、みすず書房、一九九四年、三〇〇頁。ただしこの引用は厳密には精確ではなく、原文では発見の目的語は「判断力」ではなく「この現象」である（「この」は直前の「他者と世界を共有すること」を指す）。〕

[42] Arendt, *Lectures on Kant's Political Philosophy*, p. 10.（強調は引用者）〔ハンナ・アーレント『カント政治哲学の講義』ロナルド・ベイナー編、浜田義文監訳、法政大学出版局、二〇〇九年、二三頁〕

[43] Aubenque, *La Prudence chez Aristote*, p. 127.

[44] Arendt, *The Life of the Mind, One/Thinking*, p. 215.〔ハンナ・アーレント『精神の生活（上）第一部／思考』二四八頁〕

[45] Ibid., p. 69（「一緒にされる」の部分の強調は引用者）〔同書、八一頁〕。カントが趣味判断にかかわる諸能力間の関係に対してもっとも一般的に用いる表現は「ともに保持すること〔zusammenhalten〔並べて比較すること〕〕」である。カントは書いている、「趣味判断はたんに観照的である。すなわち、趣味判断は対象の現存在にかんしては無関心に、ただ対象の性状を快・不快の感情と並べて比較する〔zusammenhält〕判断である」（Immanuel Kant, *Critique of the Power of Judgment*, trans. P. Guyer and E. Matthews (Cambridge: Cambridge University Press, 2000), p. 95.〔Immanuel Kant, *Kritik der Urtheilskraft*, in *Kants gesammelte Schriften*. Hrsg. von Königlich Preußischen Akademie der Wissenschaften, Bd. 5, 1913, S. 209／イマヌエル・カント『カント全集8――判断力批判（上）』牧野英二訳、岩波書店、一九九九年、六四頁〕）。

[46] Ibid.〔同書、八二頁〕

[47] Ibid.〔同頁〕

[48] Ibid., p. 193.〔同書、二二四頁〕

[49] Ibid., p. 200.〔同書、二三〇頁〕

[50] 個物は概念上普遍に結びついており、その結果、普遍と関連し、普遍に包摂されることによって骨抜きにされてしまうということ、あるいは、思弁的論理にしたがえば、普遍が真に普遍であるためには、今度は普遍

の側が、個別のうちで自己を具体化しなければならず、そのような普遍によってやはり個物が骨抜きにされてしまうということ、そうしたことを考慮に入れれば、アーレントが個物について語っているときに思い描いているものは、特異＝単独者〔singulars〕ということになる。私は、『革命について』の一節に私の注意を引いてくれたことに、モード・メイゾード〔Maud Meyzaud〕氏に感謝したい。その一節でアーレントは、ロベスピエールとドストエフスキーの「大審問官」とを比較しつつ、憐れみと同情を対比させる。彼女の論じるところでは、憐れみが理解するのはただ脱個人化された苦しみだけである一方で、同情の能力は「もっぱら個別的なものを理解することができるのであり、一般的なものの観念や一般化の能力をもたない」。アーレントは続けて書いている。「ドストエフスキーにとって、イエスの神性のしるしは、疑いなく、すべての人をその各々の特異＝単独性において同情する能力、つまり、ひとつの苦悩する人類というような実体のうちへと彼らをひとまとめにすることなく同情する能力であった」（Hannah Arendt, *On Revolution* (Harmondsworth: Penguin Books, 1987), p. 85〔ハンナ・アーレント『革命について』志水速雄訳、ちくま学芸文庫、一九九五年、一二七頁〕）。この一節の詳細な議論については以下を参照。Maud Meyzaud, *Die stumme Souveränität. Volk und Revolution bei Georg Büchner und Jules Michelet* (Munich: Fink, 2012), S. 207–209.

[51] Ibid., p. 200.〔同書、二三〇頁〕

[52] Ibid., p. 76.〔同書、九〇頁〕

[53] Ibid., p. 88.〔同書、一〇三―一〇四頁。なお、このカントの引用については、アカデミー版全集一八巻の五〇一九番、五〇三六番の断章を参照。Immanuel Kant, *Metaphysik*, in *Kants gesammelte Schriften*. Hrsg. von Königlich Preußischen Akademie der Wissenschaften, Bd. 18, 1928, S. 62–63, 69〕

[54] Ibid., p. 30.〔同書、三七頁〕

[55] Ibid., p. 177.〔同書、二〇五頁〕

訳註

〔一〕　以下、本文中の亀甲括弧内に〔アラビア数字／漢数字〕の要領で、次の文献の参照頁を補足する。Hannah Arendt, *The Life of the Mind, One/Thinking* (New York: Harcourt Brace Jovanovich, 1978)／ハンナ・アーレント『精神の生活（上）第一部／思考』佐藤和夫訳、岩波書店、一九九四年。

5 〈なおも来たるべきもの〉を見張ること

徹底して非ギリシア的な近代科学の本質のうちで「早初の思考〔früh Gedachtes〕、早初の命運〔früh Geschicktes〕であったもの」がいかにして生き残っているのか、またそれらの本質への反省、あるいはむしろ省察〔Besinnung〕をギリシアの思考との対話を通していかにして準備するのか——こうした問いを証示しようとする文脈においてハイデガーは、一九五三年の講演「科学と省察」で「科学とは現実的なものの理論である」という命題を提示している。これは、ハイデガーによれば、科学の本質をもっとも簡潔な仕方で表現した命題にほかならない〔1〕。この命題を通じて問われるのは、「現実的〔wirklich〕」の意味、次いで「理論《セオリー》」の意味であり、最終的には両者の関係が探求される。より正確には「現実的なものと理論的なものとがそれらの本質からしていかに互いに入り込んでいくのか〔aufeinander zugehen〕」〔2〕という問いが探求されるのである。ここでは時間の都合上、この命題で問題となっている「現実的なもの」が何を意味するのかについてだけでなく、ハイデガーの語源学的アプローチがいかに理解されるべきなのかについての分析も扱うことができない。したがってただちに、命題「科学とは現実的なものの理論である」における「理論」の意味についてのハイデガーの解明へと議論を進めることにしたい。

「理論〔theory〕」は、ギリシア語の名詞テオーリア〔theoria〕に由来し、それ自体動詞テオーレイン〔theorein〕から派生している。この言葉はその近代的な意味においてすらなおもひとつのギリシア語でありつづけており、そのうちで生き残っている早初の意味が何であるのかを聴き取ることなしに、この語の意義が完全に理解されることはない。しかしながらハイデガーによると、「高次の神秘的な〔hohe und geheimnisvolle〕意味」がこれらのギリシア語に特有である以上、その早初の意味はただちには明らかでない〔3〕。これらの語に神秘的なものとは、その曖昧さ、多義性〔Mehrdeutigkeit〕であるとハイデガーは記す。この多義性をとりわけ神秘的にしているのは、ただこれらの語がたんにいくつかの異なる意味をもつことよりもむしろ、問題の語がそれらの意味をきわめて特異な仕方で互いに結合させているという事実である。その神秘的性格は、それらの語が二つのまったく異なる動詞の語根を（一見すると強引な結び目で）束ね合わせていることのみならず、これらの動詞が互いに呼びかけて織り合わさっているようにみえるということから来ている。ハイデガーはこう書いている。「動詞テオーレイン〔theorein〕は二つの根語から一緒に生長してきた〔zusammengewachsen〕。その二語とは、テア〔thea：眺め〕とホラオー〔horao：見る〕である」。これらは、一見したところ互いに無関係な二つの意味から出てきている〔4〕。その無関係さにもかかわらず、この二つの根語は、一緒にテオーレインという動詞へと生長し、いわばひとつの有機的全体へと結び合わされることとなった。ここで銘記しておきたいのは、ハイデガーが、テオーリアの元来の意味をめぐってテオーレインという動詞が演じる役割に光を当てることで、最初からテオーレインのある能動的な性質を強調しているという点である。というのも〔ラテン語の〕コンテムプラーティオー〔contemplatio：観照〕という訳語ではこの性質が失われてしまうからである。いずれにせよ、ひとつ目の根動詞テアは、当該の緊密な編み物に入り込むことで「なにものかがそこでみずからを示すような眺め、外観であり、なにものかがみずからを差し出す外見的な現われである。そこで現前するものが何たるかをみずから示すこの外観〔Aussehen〕を、プラトンはエイドス〔eidos：形相〕と名づける〔『テアイテトス』参照〕。つまり、この外観を視てしまっていること、すなわちエイデナイ〔eidenai〕が知〔Wissen〕なのである」〔5〕。つまり、最初の根動詞が強調しているのは、なんらかの外見的現われへと前景化する運動、なにものかがそこでみずからを視界に差し出している外観を現前させるという運動である。それとは対照的に、テオーリアにおける第二の根動詞ホラオーは、それによってなにものかが現われるまなざしにかかわっており、このまなざしはみずからを示すものへと向かいつつ、「［それを］見つめる［こと］、［…］目に入れる［こと］、［…］注視する［こと］」〔6〕によって、現われへの到来に応答するのである。このテオーレインは、正反対でありながら相補的でもある二つの運動を合体させており、したがって「テアン・ホラーン〔thean horan〕であり、そこで現前するものが現われている外景を注視し、そしてそれをこうした眺めを通して見ながらそのもとにとどまるということである」〔7〕。したがってテオーレインは元来、なにものかがみずからを見えるように与えるその仕方に眼をむけることとして理解されねばならない〔8〕。それが注意を払うのは、みずからを示すものがそれ自体において何であるかということよりも、このなにものかがみずからを視界に差し出していることとそのものに対してである。さらにまた、テオーレインは、現われのうちにあるなにものかがまさに自己現前するようにさせることにとどまる。したがってテオーレインは、なにものかの自己提示に呼応（entsprechen：合致）する注視、またこの呼応のうちで現前化の過程へ能動的に参与する注視であるだけではない。それはまた、当の注視のうちで現われるものの現われが極まり、この現われの働きがそこにとどまり存続することができるという、そういった注視なのである。ギリシア語の動詞テオーレインの「語源学的」解明は、この動詞の早初の意味の何が、理論の近代的概念のうちになおも生き残っているのかに光を当てるということを試みたことで、理論の内部で作動している高次の神秘的な呼応の働きを拡大してみせた。自己自身を示すものとその自己提示に応答するまなざしとのあいだの呼応〔相互照応〕は、問題となっている開示へと能動的に参与するだけでなく、提示作用そのものにとどまることで、この提示が自分自身のうちで極まり、かくしてそれに呼応するまなざしのなかで生き残ることを可能にするのである。

実際ハイデガーが私たちに思い出させるように、テオーレインが古代ギリシアの「生（bios）の特定のあり方」、つまり現前するものに注視しとどまりながらこれを見守ることで定められるという生き方を名指しているのだとすれば、それはまさにこの生が、現われの過程とその究極の存続とに能動的に参与することへ捧げられているからである[9]。この特定の生き方が、「観想する生」としてのビオス・テオーレーティコス〔bios theoretikos〕であるかぎりで、行為と制作（Handeln und Herstellen）に仕えるビオス・プラクティコス〔bios praktikos：実践する生〕から区別され、「とりわけ思考としての純粋形態において最高の行為であり」、最高の実践であるとすれば、それはたんにこうした生が「現前するものが純粋に輝き出すこと」を注視することに成り立つからというだけでなく、まさしくこうした生によってこそ、この輝き出しがもち堪え、存続ないし生き残るということが可能になっているからである[10]。生の最高形態がビオス・テオーレーティコスであるのは、なによりもまずこの生が、まったき純粋さにおいて輝き出すことに呼応しつつ、当の輝き出るものがもち堪えて存続し、生き延びることができるようにするからなのである。「あらゆる現前するものに属する外観への関係はその輝きのうちで人間にかかわることによって神々の現前を輝き出させる［indem sie die Gegenwart der Götter bescheinen］ような現われへの関係でもあるが、そのような純粋な関係」として、生の最高形態――実のところ生そのもの――は、現われの生起に呼応しそれを見守るひとつの関係としてのテオーリア的な生である[11]。それは（プラトンのように）実践的（および倫理的）な次元をもつだけではない。テオーレインは、みずからを示すものの開示が生き延びるように奉仕する実践であることによって、実のところ（アリストテレスの『ニコマコス倫理学』におけるように）実践の最高の達成なのである。

　ここまでのところ、テアとホラオーという顕著に異なるこれら二つの語――ともに行為を表現しており、動詞テオーレイン、つまり行為や実践として理解されたテオーリアのうちに相互に結合することになった――をめぐるハイデガーの行論が説明しているのは、テオーリアという言葉の神秘的な意味である。この語の高次の［hohe］意味にかんして、ハイデガーはこう言い切っている。「ギリシア的なビオス〔生き方〕においてテオーリアのもつ最高の次元には次の事実が結びついている。それは、比類なき仕方でみずからの言語から思考し、みずからの現存在［Dasein］を受け入れたギリシア人たちが、テオーリアという語からさらになにか別のことをも聴き取ることができたという事実である」〔12〕。ギリシア人たちは、みずからの言語が自身に定めていた種類のビオスに耳を傾けることにより、事物がそこで開示される外観の輝き出しに応答するという相互照応への要求とは別に、テオーリアという語のうちに依然としてなにか別のもの、なにか他のものを聴き取った。実際、「テア〔thea〕とホラオー〔horao〕という二つの根語は、アクセントを変えてテア〔theá〕およびオーラ〔óra〕〔オミクロンを用いる〔ὁράω〕のではなくオメガを用いて〔ὥρα〕〕と読むことができる。テアは女神である。そのような女神として早初の思索者パルメニデスに現われたのはアレーテイア〔aletheia：非隠匿性〕である。つまりこの隠れなさから、またこの隠れなさのうちに、現前するものが現前し現出するのである。私たちは〔ギリシア語の〕アレーテイアを、ラテン語でウェーリタース〔veritas〕と訳し、また私たちのドイツ語でヴァールハイト〔Wahrheit：真理〕と訳している」〔13〕。文献学的に言えば、テオーリアの「テア〔thea〕」を、テオス〔theos：神〕から派生させることはきわめて問題含みである。しかしながら、古代人たち自身がすでにこうした結びつけを行なっており、文献学的な正確さがまったくないにもかかわらず、この語のうちに神的なものへの指示を聴き取るというギリシアの傾向によってハイデガーの解釈を正当化することができる〔14〕。テオーリアにおける神的なものへの指示というギリシアの生き生きとした経験が語源的な証拠と相容れないとしても、ハイデガーにとってこのような経験はあらゆる「科学的な」考察を凌駕している。「ギリシア人は比類なき仕方でみずからの言語から思考し、みずからの現存在を受け入れた」〔15〕というハイデガーの言明を思い出そう。ギリシア人たちはどんな障害を排してもテア〔眺め〕とテオ〔神〕の結びつきをもたらしたのであり、このような結びつきを介して、まさしくこの二語のよく似た音が彼らにそう思わせたかぎりで、ギリシア人たちはみずからが生の最高形態とみなしたものを規定したのである[16]。前者のテアが（後者のテオないしテアつまり女神と区別されて）意味するのは、そこでなにものかが開示され非隠匿性すなわちアレーテイアのうちへもたらされるというそうした外観であり、この外観に対してホラオー〔視る〕の行為が、真理の開けへのかかる到来にとどまりつつ応答するのである。これに対し、アクセントを変えたテアが喚起するのは、非隠匿性と現前化の化身たる女神アレーテイアであり、したがってまた女神のいと高き神聖な本性である。女神アレーテイアは、彼女に見とれている死すべき者たちからの特定の応答の仕方を要求するのであり、それはギリシア語で（ホラオーと対置されて）オーラ〔ora：配慮〕と名指されている。オーラもまたその対象への能動的な関係を表現している語である。ハイデガーはこう書いている。「ギリシア語のオーラが意味するのは、私たちが払う敬意［die Rücksicht, die wir nehmen］、私たちが授ける栄誉と尊重である」[17]。敬意を払うことは、真理の女神のような神聖さが死すべき者たちに対して要求する能動的な関係である。「いま、私たちがテオーリアという語を最後に挙げられた語義［すなわちテアとオーラ］から考えるなら、テオーリアとは、現前するものの非隠匿性に敬意を払いつつ心を配ることだということになる。古代の、ということは早初の、しかしけっして古びない意味において理論とは、真理に注意して見張るということ［das hütende Schauen der Wahrheit］である」[18]。テオーリアという語のこの第二の意味の層を伴うことで、理論は、アレーテイアないし非隠匿性という意味で真理への指示を含むことになる。続いてこの第二の意味を、なにものかが現前しているところの外観の注視としての〔第一の意味の〕テオーリアに関連づけることにより、なにものかが自分自身を示すことは、真理の生起を意味するということになる。さらに、みずからを示すなにものかを歓迎し見守るというこの注意深いまなざしを、死すべき者たちが女神アレーテイアに対して払うあの敬意に結びつけることによって、今度はこのまなざしは次のように理解される。つまり、真理を見守ることへと能動的に関与し、真理を気遣い、真理をその生起のさなかでもち堪えられるように保護するというまなざしとしてである。なにものかがみずからの外観において自己提示することに対して能動的なまなざしが呼応するということは、真理自体が継続的に生起ないし生き延びることを維持し増進させようとする配慮でもある。

真理を見張る注視というテオーリアのこの早初の意味が、近代的な理論によってとって代わられてきたということに疑いの余地はない。しかしハイデガーが述べるように、テオーリアのこの「多義的［mehrdeutige］でどの点から見ても高次の」意味は、今日私たちが理論を話題にするさいに「埋もれたままになっている」としても、けっして廃れてしまうことがない[19]。「埋もれている」という言葉が示唆しているように、テオーリアの早初の意味は、理論の後世の意味の奥底で暗号化されているのである。実際に「近代的な仕方で理解された「理論」の奥底にはなおも早初のテオーリアの影が射し込んでいる。前者が生きるのは後者によってであり、しかもたんに歴史的な依存関係という外面的に確認できる意味においてのみそうであるわけではない」[20]。テオーリアの早初の意味が理論の近代的な意味を内奥から規定しつづけているのだとすれば、それは、理論がギリシアの概念からなおも顕著に隔たっているにもかかわらず歴史的にテオーリアへと遡ることができるからというよりも、むしろテオーリアの根源的な多義性の亡霊、つまり二つの相異しつつも相補的である運動ないし行為の相互連関が依然としてこの語にとり憑いているからである。〔古代のテオーリアとの〕あらゆる違いを考慮しても、近代の理論は依然として動詞の性格をもち、後に見るように、互いに呼びかけ合う二つの異なったベクトルをもつ運動を等しく結合させている。そのさらなる帰結として、テオーリアの早初の意味が、たとえ亡霊的な類いの生き方としてであれ近代の理論のうちに生き残っているのだとすれば、近代の理論は、テオーリアの早初の意味と根本的な異他関係にあるにもかかわらず、そこから完全に疎外されているということはない。しかしながら、私たちが見てきたように、両者が対立しているということもやはり確かである。というのも、近代科学は〔古代の〕エピステーメー〔学知〕のひとつの特質から生じたのだが、この特質は最初から存在していたものの、ギリシア人はこれを反省の課題とすることがなかったからである。ここで、複合語「テオーリア」のなかで二つの異なる語を有機的に結びつけている相互連関についてハイデガーが示唆していることを想い起こしておきたい。テオーリアが、一方でなにものかがみずからを現前させるという提示の運動を見ることと、他方で現前するようになるもののうちにこの自己提示を見守るという運動、これら両者を織り合わせることで、それにもかかわらず、近代科学を生じさせることができたのだとすれば、そこからは次のことが帰結する。すなわち、ハイデガーがそれ以降で詳述しているように、各専門に区分けし囲い込むことで確保するという近代科学の活動は、要するに、近代科学のテクノロジー的で人為的な本性なのであり、これは、テオーリアとエピステーメーの有機的な複合のうちにそもそもの始まりから棲みついていたにちがいないのである。いずれにせよ、近代科学とテオーリアの関係を反省するという課題が立てられるのだが、しかしそれはたんに、近代の理論的科学を、それらが疎遠になってしまったテオーリアの古代の意味へとあらためて結びつけることで、フッサールの提案したように近代科学を生活世界内での人間の要求にとってふたたび有意義なものにするためなのではない（それどころかそれらは今日かつてなく「有意義」になっている）。そうした反省の課題が立てられるのは、近代の理論的科学があらゆる変容を被ったにもかかわらずそれ固有の仕方で、しかしそうと知らずに次のような実践をくり広げているのはいかにしてなのか、ということを示すためである。すなわち、この実践はなによりもまずみずからを示すものに呼応（相互照応）し、それをそのものとして見守るという実践であり、ギリシア人の歴史的世界を根源的に開いた実践と似ているのである。いまや近代科学がテオーリアの影になおもとり憑かれているという自覚なしに本質的に定義されることは不可能であるにしても、近代科学は、ギリシアにおける意味でのテオーリアに永遠にとって代わってしまったのだろうか。テオーリアの幽霊的残余は、近代的理論の未来の運命が決定されるかもしれない地平を定義づけており、それが近代の理論にも生きているということを示すためにテオーリアのギリシア的理解を再活性化させることが必要だとするならば、このこととは別に、テオーリアそれ自体を近代のうちに、おそらくは新しいかたちで再出現させるという可能性はないのだろうか。古代のテオーリアがそのまったき有機性にもかかかわらず近代科学を生じさせ世界を崩壊させもしたような特徴を含んでいたとするならば、その新しいかたちは、かつてのテオーリアがそのまま回帰してくると期待されるような古代的で非反省的なかたちをとるわけではないだろう。ともかくも、以下に見るように「科学と省察」でハイデガーが自身に対して据えた省察(Besinnung)の課題とは、ギリシア人の歴史的世界の影が一見無世界的にみえる近代世界の内奥に射し込んでいるのを示すことであり、そしてこの無世界こそ脅威かつ好機の両方なのだという点を示すことである。この脅威、そしてとりわけこの好機は何から成っているのか、そのことを見定める前に、しかしまずこう問う必要がある。「早初のテオーリアと区別された「理論」、つまり「近代科学とは現実的なものの理論である」という命題で名指されている「理論」とははたして何であろうか」[21]。

ハイデガーがこの問いにできるかぎり簡潔に答えるために採用するのは、一見したところ主題となっている事柄にとってまったく外面的にみえる仕方、つまりテオーレインとテオーリアという(専門用語というよりも)言葉がラテン語とドイツ語に翻訳されてきた仕方について論じることである。しかしながら、実際にはこれが理論の近代的な意味を説明するのにいささかも外在的な道ではないとすれば、それは翻訳というものが、言語を通じてひとつの民族にとっての世界たるべく定められているものにおいて新しく決定的な移行、すなわち時代を画する移行の指標をなしているからである。実際、ハイデガーが主張するように、これらの翻訳によって近代的な語感での理論の意味が私たちに直接もたらされている。ハイデガーによれば、テオーレインとテオーリアが「ローマ人の言語の精神」、つまりローマ人の現存在〔Dasein〕の精神のもとでそれぞれコンテムプラーリー〔contemplari〕およびコンテムプラーティオー〔contemplatio〕と翻訳されたとき、これらの言葉で問題となっているギリシア的な意味は「一挙に消え去ってしまった」[22]。実際、「テオーレインが生じてきたのとはまったく異なる経験」がコンテムプラーリーという動詞の意味の土台をなしており、こちらの経験は「なにかを別々の区画に切り分けてそのなかに囲い込み」、そのことで「不可分なもの」、つまり原子にまでいたるという経験である[23]。かくしてこのラテン語訳がテオーレインというギリシア語の早初の意味を一挙に消滅させたのだが、それはけっして恣意的な移植ではない。重要なのは、この翻訳が生じた仕方とそれがいまや名指そうとしているものとがギリシアの思考にとってまったく疎遠だというわけではないという点に注意することである。第一に、動詞コンテムプラーリーの言語的な起源がある。ラテン語のコンテムプラーリーのなかのテムプルム〔templum〕はギリシア語テメノス〔temenos〕に対応し、これは切ることや分けることを意味する。ここでハイデガーが「コンテムプラーティオーへと転じたテオーリアのうちには、すでにギリシアの思索で一緒に準備されていた、切り分けて区画に分割しながら注視するという衝動が現われてきている」と書くとき、次のような主張によってハイデガーが何を念頭に置いていたのかということがようやく明瞭となる。いわく、近代の理論的科学が基づいているのは「ギリシア的に経験された知の本質のうちになおも隠匿されたままとなっているひとつの動向の決定的な仕上げである」[24]。実際、当初よりすでにギリシアの思索に現前していた特徴・動向・傾向がついにテオーリアの他のあらゆる特質に優越するにいたったのであり、それは「眼が把握すべきものへとむかって相互に連関した諸段階からなる介入的な前進というタイプのもの」[25]である。ギリシア人たちに隠されていたこの特徴は、テオーレインをコンテムプラーティオーへと移し替える翻訳を通じて「知るということにみずからを適合させる」[26]ようになる。このような知は、なにものかが現前しみずからを示す外観を見るということから生じる知〔Wissen〕に対置されて、いまや認識〔Erkennen〕となり、「眼に把捉されるべきものに対する区分けされた介入の行程［eingeteilten, eingreifenden Vorgehens gegen das, was ins Auge gefasst werden soll］」[27]という性格を獲得するようになる。かくして認識としての知は、みずからが見るものを分割し分類しながら能動的にそれらへ介入し侵入していく手続きという性格を帯びることになる。だがハイデガーが記すように、眼が把捉すべき対象へのこの能動的な介入にもかかわらず、コンテムプラーティオー〔観照〕というローマの概念は、依然として活動的な生〔vita activa〕からは区別されたままであった。コンテムプラーティオーという考え方は、修道会の宗教的瞑想を反映した後の中世的な考え方とはまったく異なったものである。テオーレインとの甚だしい違いにもかかわらず、コンテムプラーティオーはなおもテオーレインと共鳴しており、両者は、行動し生産する生から区別されるという点においてだけでなく、後に見るように、コンテムプラーティオーの対象が実践の最高形態としての能動的介入を要求するような仕方で考えられているという点においても共鳴しているのである。

しかし、テオーリアの翻訳過程はラテン語のコンテムプラーティオーで終わるわけではない。後者が今度は、ドイツ語でベトラハトゥング〔Betrachtung〕（視ることないし観察）と訳され、その結果、「現前するものの外観を見つめるというギリシア語のテオーレインは、観察ないし考察〔Betrachten〕となる」[28]。コンテムプラーティオーをベトラハテン〔Betrachten〕およびベトラハトゥング〔Betrachtung〕へと置き移すドイツ語への翻訳は、ギリシア語のテオーレインの意味から二重に離れることで、「ドイツ語のベトラハトゥングが意味するものを真剣に受け止める」場合にのみ、「現実的なものの理論としての近代科学の本質における新しさとは何なのかの理解」[29]を真に与える道に立たせてくれる。ハイデガーは、近代の理論が「ギリシア語のテオーリアとはなにか本質的に異なるもの」であることを示すために、ベトラハトゥングのあらゆる通常の意味〔そのいくつかはどこかしらギリシア語の早初の意味がいまだ反響しているように思われる〕を脇に置いて、このドイツ語に「また別の、しかし恣意的な思いつきではまったくない、この語に根づいている意味」[30]を与えている。そしてハイデガーは、ベトラハトゥングのトラハテン〔trachten〕〔〜に努める〕という動詞形から、ラテン語のトラクターレ〔tractare〕〔取り扱う、手を加える〕にまで遡り、ドイツ語で言う「nach etwas trachten〔なにかを得ようと努める〕」が「〜にむかって働く、〜を確保するためにそれを追いかける、陥れる」を意味するということを喚起しつつ、次のことを示している。すなわち、ベトラハトゥング〔観察〕としての理論が意味しているのは、現実的なものに関係するひとつの仕方であり、つまりこの仕方によって現実的なものは、確保されるべく追いかけられ働きかけられるのである〔das nachstellende und sicherstellende Bearbeiten des Wirklichen〕[31]。ベトラハトゥングはラテン語のコンテムプラーティオーのドイツ語訳であり、「切り分けて区画に分割しながら注視する」という意味があったわけだが、他方、ベトラハトゥングのラテン語の〔tractare という〕語根にまで迂回してからこのドイツ語の言葉に戻ると、理論の意味はひとつの根本的な変異を被ってきたように思われる。理論は、現実的なものにねらいを定めて確保しようとする活動という観点から理解されることで、現実的なものへの能動的な介入として、もはや観照的ではなく、活動的な生〔vita activa〕の一部になってしまったように思われる。近代科学の決定的な新しさとは、ギリシアのテオーリアに負債があるにもかかわらず、いまや「理論」はそのテオーリア的な性格をかなぐり捨ててしまったということなのである。この新たな意味によれば、理論とは、きわめて不気味なやり方で掴みかかる現実的なものへの働きかけだ、ということになる(eine unheimlich eingreifende Bearbeitung des Wirklichen)。言い換えると理論は、行為と生産という意味で実践的《プラクティカル》であり、要するに技術的《テクニカル》なのである[32]。近代科学は近代における世界の崩壊をもたらしたが、それがすでにギリシアのエピステーメー〔学知〕のうちで準備されていた衝動にその根をもっており、この衝動が活性化されたのはまず、能動的に分割し区分けして対象へと介入することとしてのラテン語のコンテムプラーティオーによってであり、次いで、追いかけて掴みかかるという仕方で対象を確保しようとすることとしてのドイツ語ベトラハトゥングによってであった。だとすれば、紛れもなく徹底して非ギリシア的な近代科学は、ギリシアの思索によってすでに予期されているだけでなく、さらに、近代科学による世界の無世界化もまたその起源をギリシアの思索のうちにもっているということになるだろう。結局のところ、以下で明らかになるように、近代科学のアプローチや現実的なものの能動的な生産自体がギリシアのテオーリアに負っており、それは、近代科学がギリシアの思索そのものの反省されざる特徴の根本的な外化であるからというばかりでなく、その人為的で技術的な本質のすべてにおいて、現前するものとそれを見守る応答とのあいだの相互照応というギリシア的な要求を、科学固有の仕方で継続させているからなのである。しかしながら、以上のことからひとつの問いが生じる。かかる相互照応への——ということはなんらかの有機性への——要求は、なにか暗い面をもっているのではないのか。無世界化の可能性は、ギリシアという起源においてほかでもないテオーリアによって達成された相互照応そのものに根ざしている危険であり、この脅威もまたギリシアの思索自身に覆い隠されたままであったがゆえになおいっそう危険だということになるのではないのだろうか。

しかし、ハイデガーが言うように近代の理論的科学による現実的なものの侵食が不気味なのだとすれば、それはたんに問題となっている介入が際限のない怪物的な規模で広がっているからというだけではない。それは、厳密な意味において不気味なのである。なぜならそれは、現実的なものに外部から暴力的に介入するからではなく、現実的なものそのものによって呼び求められているからである。それは、現実的なものそれ自体によって可能になっている侵食、そして現実的なものによって呼び求められてもいる侵食であり、まさしく現実的なものが「科学が現実的なものについての理論である」という場合のそうした現実的なものだというかぎりでそうなのである。理論は、現実的なものを追い求めて確保しようとする一種の観察として、みずからを現実的なものへと押し付けるわけではない。それどころかそれは真の相関者である。現実的なものを確保しようとしてそれを追い求める観察がそのような追求と確保へと引き込まれるのは、現実的なものそれ自体によってである。ハイデガーはこう述べている。「まさにこの介入を通じてそれ［観察］は現実的なもの自体の根本特徴［Grundzug］に呼応する［entspricht］」［33］。近代の理論は、現実的なものからの引き込みに答えつつ、近代科学というかたちでこれに呼応するのである。理論による現実的なものへの介入が不気味であるとすれば、それは、ギリシアのテオーレインとのまったくの根本的な違いにもかかわらず、まずもって近代の理論と現実的なものとの相互照応が、依然としてひとつの反響、つまりみずからを示すものに呼びかけ応答する能動的な仕方としてのテオーリアの核心にある相互照応の反響をなしているからである。それは確かに遠い反響だが、やはり反響にはちがいない。両者の徹底した異他関係にもかかわらず、テオーリアの早初の意味が投げかけている不気味な影は、近代の理論にとり憑きつづけている。もちろん、理論的な諸科学におけるテオーリアの亡霊的な現前は、それらの科学がみずからの純粋に理論的な性格を放棄してしまった場合にさえ、次のことを可能かつ必然にする。すなわち、ハイデガーが要求するように、ほかならぬ諸科学の本質を理解可能なものにすべく西洋のギリシア的諸起源へ立ち返るということである。しかしハイデガーが少なくとも明示的に考慮していないのは、この諸科学がテオーリアに対して払っている負債こそが、そのすべての反省されざる諸特徴とともに、現今の世界時代における世界の崩壊をも助長してきたのではないか、ということである。

　ハイデガーが説明しているのは、現実的なものと理論とが「科学とは現実的なものの理論である」という命題のもとでいかに理解されるべきかということであり、さらに、近代という時代において現実的なものが、理論的な諸科学に対して現実的なものそれ自体を取り扱い確保するように呼び求め、現実的なものとその理論とのあいだの相互照応を培うようにするのは、いったいどういうことなのかということである。そうすることでハイデガーはすでに、現実的なものと理論的なものとの関係をめぐる問い、より正確には「この両者がいかにして〔…〕それらの本質からして互いへ入り込んでいくのか」をめぐる問いにひとつの答えを与えたことになる。

ハイデガーは現実的なものを「自己‐提示しつつ現前するもの」として、あるいはむしろみずからを前へ立てる（das sich heraustellende Anwesen）現前として定義していたが、現実的なものは「近代になって、みずからの現前を対象性のうちで立たせるという仕方でみずからを示すことになる」[34]。かくして現前の働きは、近代という時代の現実的なものとしての対象性のうちにみずからを前に置くというかたちで、なんらかの立つことへといたる。そうしたものとして現実的なものは、堅固に確保されてこの対象的な設立に耐えうるようにするという目的をもって取り扱われ加工されるよう、諸科学の理論に呼び求めるのである。このように現実的なものは、理論的な諸科学が現実的なものの現前化を確保された対象のうちに捕まえるべくこれを仕上げることができる、そのような仕方で説明されることになるが、この過程とは、現実的なものとその理論がともに結びつけられる過程にほかならない。これが、近代という時代に当の呼応＝相互照応がとるかたちである。

ハイデガーは、近代科学一般の本質についてのみずからの解明を、現前するものの対象性という概念そのものがもたらす諸科学の避けがたい専門分化にかんする議論によって締めくくっている。そしてそのあとにハイデガーがふたたび立ち返っているのは、諸科学において実際にそして真に統べているものはいったい何なのかという問いである〔35〕。この問いはいまや「科学の本質のうちにみずからを覆い隠している目立たない事態」〔36〕への問いと呼ばれている。ハイデガーはこの事態を、三つの顕著な、しかし互いに組み合わさった諸特質に即して性格づけているが、こうした事態を浮き彫りにするために、ハイデガーはとくに近代物理学へと議論を移している。

たしかに「理論は現実的なものを――物理学の場合では生命をもたない自然を――ひとつの対象領域へと同定し確定する。しかしながら、自然はつねにすでにそれ自身から現前するものである。対象化の側は、そうして現前している自然を頼りにしたままである」〔37〕。言い換えると、現実的なものをその対象性のうちに囲い込んで捕まえる理論にとって、現実的なものはいわば前もってそれ自身を開示していなければならない、つまりそれ自体をおのずから示して現前していなければならないのである（対象性というかたちを取るものであろうとなかろうと）。近代的な意味での理論は、みずからに先立つこの開示に全面的に依存している。「理論はすでに現前している自然をけっして追い越すことができず、この意味で理論は自然を避けて通ることがけっしてできない」〔38〕。ここで次のことも強調しておこう。物理学が自然として表象するもの――その普遍的で斉一的な合法則性――が自然そのものであるのは、自然がみずからをひとつの対象領域として、より正確にはその対象性が物理学による処理特性を通じて定義されるような対象領域として前面に設定しているかぎりにおいてである。したがって、理論が対象性というかたちで自然の先行的な開示に依存しているというだけでなく、このような提示に含まれているのはまた、自然が現前する仕方はひとつ以上存在するということ、そして物理学によって扱われる自然はそれらのひとつにすぎないということである。ハイデガーはこう書いている。「近代の自然科学にとっての対象性というあり方での自然は、古代ギリシア以来ピュシスと呼ばれてきた〈現前するもの〉がみずからを開示し科学的な加工のためにみずからを据え置く、たんなるひとつのあり方でしかない」〔39〕。物理という理論的な諸科学の対象領域としての自然は、この領域でみずからを理論的なまなざしに差し出し、またそこで処理され確保されるようになるのだが、これはたんに自然の現前がピュシス——本来は存在するもののすべてが輝き出してくるものとしてのピュシス——として理解されるさいのひとつのあり方でしかない。ここから帰結するのは、対象性が「自然のあまねき現前を囲い込む〔einkreisen〕」にはけっしていたらないということであり、さらには「科学的な表象が自然の本質を囲い込む〔umstellen：取り巻き、包み込む〕ことはけっしてできない」〔40〕ということである。理論がその成り立ちからして自然を囲い込んだり包み込んだりすることができないのは、自然の輝き出しがそれに先立っているからというだけではなく、自然がつねにそのつど唯一の仕方でしか輝き出すことがないからでもある。ここから、近代の理論にとって、この場合は物理の理論的な諸科学にとって、自然は「不可避的なもの〔das Unumgängliche〕」〔41〕だということが帰結する。この語句は二重の意味をもつ。それが一方で意味しているのは、近代の理論が、現前するものがみずからを現前させるさいのいかなる形態においてであれ、当の現前の先行的な現前作用に依存しつづけるということである。また他方でこの語句は次のことをも意味している。すなわち、現前するものの現前がとる当の〔対象性の〕形態そのものによって、それに呼応する種類の表象が、自然のまったき充実をもはや取り囲み包み込むことができなくなっている、ということである。理論的な物理学が相関している自然の対象性のうちで、この二重の「不可避的なもの」が威力をふるっている。しかしあらゆる諸科学が各々の「不可避的なもの」を有しているのである。精神医学では現存在、歴史学では「出来事に根拠づけられた運命」、そして文献学では言語が「不可避的なもの」である〔42〕。科学は理論であるかぎりでつねにすでに、対象性の限界に囲繞された領域へとみずからを制限している。理論の「諸対象」は自身を対象性において示すがゆえに、それらが表象するのはつねに「そのうちで現前するものがたしかに現われうるがけっして無制限に現われることはありえないような、ただひとつの様式の現前であるにとどまる」〔43〕。しかしまた次のことも指摘しておこう。近代の理論が見ていないものを見、それが問うていないものを問うことができるようになるということは、もうひとつの別の仕方で関係すること、別の仕方でのテオーレインをすでに前提としているということである。もうひとつの別の形態でみずからの宛て先に呼応することは、ギリシアのテオーリアともやはり異なっていることがありうるのである。すなわち、近代の理論が見ることのできないものを見ること、そして自身には立てることのできない問いを尋ねること、そうしたことができるようになるのは、もっぱら自然へのもうひとつ別のアプローチにむかう道を準備するような〈省察〔Besinnung〕〉によってのみである。

かくして「不可避的なもの」は紛れもなく事態の探求そのものに属しているが、しかし「不可避的なもの」だけではまだ事態を構成するにはいたらない。ハイデガーは、この事態を〈目立たないもの〉と形容しつつ、本論考の冒頭付近で、それは科学へのあまねき浸透にもかかわらず「諸科学自身には隠されたままである」と述べることにより、この事態をさらに性格づける諸特徴を指摘している。事態そのものが完全に規定される前にまずそれらの諸特徴が洗い出されねばならない[44]。そして実際、この事態のさらなる本質的な性格とはまさにこの「目立たないこと」であり、すなわち、理論的な諸科学のうちで「統べているなにか別のもの」はおのずから立ち現われないということ、とりわけ諸科学自身には立ち現われないということである。つまり、この事態が目立たないままであるとすれば、それは、諸科学が自身のうちに当の事態が現われているのを見いだしたりそれをそのものとして規定したりすることが「本質的に不可能」[45]だからである。これが可能となるには、諸科学はなによりもまず「自分自身の本質を把握し表象して［vorstellen］」いなければならないのだが、しかしこれこそ、諸科学が自身の本質によって達成できなくなっているなにかなのである[46]。ハイデガーはしたがってこう結論する。「一般にそれ自身の本質に科学的に分け入っていくことがそもそも科学に拒まれているままなのだとすれば、それらの本質のうちで統べている〈不可避的なもの〉に諸科学が接近することはもとより不可能だということになる」[47]。そしてこう付け加える。「こうしたところからなにか穏やかならざること［etwas Erregendes：驚異的ないし魅惑的なにものか］が立ち現われてくる。諸科学においてそのつど不可避的なもの［…］は、このような不可避的なもの［Unumgängliche］としては諸科学にとってまた諸科学を通しては接近不可能［unzugänglich］だということである」[48]。〈不可避的なもの〉は諸科学の前提条件のひとつであるだけでなく、諸科学がそれ自身では構造上接近することのできないものである。それは文字通り諸科学の盲点である。だが、こうした盲点が、近代の意味での理論のうちで威力をふるっている事態を構成しており、かくも刺激的であるとするならば、それは、この盲点をめぐってなにか驚くべきものも潜んでいるからである。どれほど目立たずありふれていようと、どれほど平板で陳腐なほどぼんやりしたものであろうと、この盲点は思考すべく与えられている。もしかするとこれは、理論によって支配されているこの世界にあって、強い意味での思考を惹起する引き金であるのかもしれない。

ハイデガーが述べるように、「私たちがこの不可避的なものへの接近不可能性に注意を払うときにはじめて、当の事態が科学の本質のうちでくまなく統べているさまが見えるようになってくる」[49]。実際、ただ問題となっている事態の〈目立たない〉という本性をさらに掘り下げることによってのみ、この事態を十全に記述できるようになるその第三の特徴も現われてくる。たしかに〈不可避的なもの〉が目立たないままであるとすれば、それは、そこに注意が払われていないからではなく、問題の事態が輝き出さないまま自身を抱え込んで制止しているからなのである。それが自分自身から現われへといたることはない。たしかに「接近不可能である〈不可避的なもの〉がたえず素通りされるということは、〈不可避的なもの〉それ自体に依存している」[50]。ここで私たちは、問題となっている事態にかんして先述した第三の特徴に触れる。〈不可避的なもの〉の目立たなさはこの事態そのものの退隠に由来するため、それは、避けがたく絶え間なく素通りされている。言い換えると、〈不可避的なもの〉が目立たないままにとどまるのは、努力不足だからではなく本質的な理由によるのである。

ここまでのところでハイデガーは、諸科学において統べているなにか他なるものについての分析を以下のように要約している。「科学の本質、すなわち現実的なものの理論の本質をくまなく統べている事態とは、たえず素通りされている接近不可能で〈不可避的なもの〉[das stets übergangene unzugängliche Unumgängliche]である」[51]。この事態は、諸科学のうちに隠れて横たわっており、諸科学そのものは「源泉のもとにある川の流れのように、この目立たない事態のうちに」横たわっている、あるいはむしろ安らっている[ruhen][52]。

いまやハイデガーは次のことを認める。すなわち、自身のねらいは、この目立たない事態が「それ自体においてある[in sich selber ist]」ところのものを確立すること——ある刷新された問いかけを要求するであろう企て——というより、いっそう控えめなこと、すなわち、当該の目立たない事態をたんに指し示す[hinweisen]ことで、「科学の本質がそこから生い育つ境域[Gegend]へとこの事態そのものが目配せをする[winke：合図を送る]」[53]ようにするということなのである。この境域は、対象性のそれであることが示されていた。そのうちで、現実的なものの理論と同じく現実的なものの現実性が、つまり近代科学の本質全体が揺れ動いている(schwingt)。だが、理論的な諸科学のうちで統べている〈目立たない事態〉から科学の本質にかんする合図を受け取るべくこの事態を指し示しているあいだに、さらなるなにかが起こっていた。ハイデガーが言うには、私たちが差し向けられているのは「問うに値するものの前へと私たちを連れていく道行きである」[54]。ここで不可欠なのは、諸科学によってもたらされた一見すると無世界的な世界が脅威であり、かつ好機でもあるという主張をあらためて思い出すことである。新たな方向へとむかう思考は、科学の本質として統べている〈目立たない事態〉を分析することで示されるが、当の方向は、諸科学が世界の崩壊を引き起こしたその途上で伸長したのちに、この崩壊とともに生じる好機にもかかわるものとなるだろう。しかしこの接続点では、なにか別の新たなものが賭けられているのである。次のことを想い起こしておこう。ハイデガーは、〈不可避的なもの〉に接近することがその成り立ちからして不可能であるという、諸科学に浸透している〈目立たない事態〉を探求しながら、なにか穏やかならざること――それは思考そのものを養うなにかだと付け加えておこう――が、みずから立ち現われてくるのだと論じている。これはまた、私たちにとって棚上げになっていた問い、今日テオーリアへの新たな道がふたたび可能になるかもしれない諸条件にかんする問いへと立ち戻る機会でもあるのではないだろうか。というのもまさに、みずからを可能にしているものをその成り立ちからして可視化できないという理論のこの構成的な無能力は、思考することをなによりも最初に生じさせる要因だからである。したがって、思考することの起源は、見栄えのしないもの、はっきりと現われないもの、つまり理論的思考には接近不可能にとどまっているもののうちにあるように思われる。いまや「科学と省察」において諸科学の盲点により惹起されたそのような思考は、諸科学の本質についての反省というかたちをとることになる。あるいはむしろ、そうした盲点が引き金となる〈省察〉が、思考することの一種として、予備的な仕方ではあれ、哲学的思考が生起するための道、そしておそらくは近代という条件のもとでのテオーリアの革新（および布置再編）のための道を拓くのである[55]。

しかしく省察〉は何をもって始まるのだろうか。本論考ではこの概念にかんするハイデガーの発言はいくぶん簡略的にとどまっており、いかに簡明であろうとこの術語の意味の概要がすでに確証されたものとなっている以上、そのぶん〈省察〉への問いはますます切迫したものとなる。したがって私は手短かにではあるが、「省察」と題された一九三八年から三九年の手稿を参照し、ここでもハイデガーの指摘は掴みどころのない記述ではあるが、問題となっているいる概念にかんするいくつかの指摘を扱うことにする。「科学と省察」と同様、「省察〔Besinnung〕」のドイツ語がラテン語からの「反省〔reflection〕」の翻訳でないことは最初から明らかである。ハイデガーがドイツ語の言葉に訴えることでラテン語概念の人間‐存在論的な含意を払い除けようとしていることは間違いなく、したがって私はこの語を元のままにしておく〈本訳文では〈省察〉と表記する〉。〈省察〉は、反省〔reflection〕とも主観性や意識への依存とも違って、すでに完了したなにかのうえに付け加えられる遅ればせの省みではない。そしてとりわけ、これは「哲学の哲学」のようなものを展開するために哲学が自身を省みることなどではない[56]。〈省察〉はまた判断や評価するのに仕えることでもなければ——反省がするように——たとえば概念の確実性を保証するために遅ればせに後から省みたものを正当化するのに仕えることでもない。ハイデガーはこう書いている。〈省察〉とは「「理性」の超克である。それが、あらかじめ所与であるもののたんなる受け取り（Vernehmung）としての理性（nous）であろうと、計算と説明としての理性（ratio）、計画と確証としてのそれであろうと」[57]。さらに〈省察〉は、反省とは対照的に「遅延ではないし、行動しない無能力のごまかしなどでもない」[58]。それどころか、思考する〈省察〉(denkerische Besinnung) は、思考する思考 (denkerisches Denken) として、「行為性格 (Handlungscharakter)」をもつ[59]。それは「行為のひとつであり、思考するというまさに行為 (denkerische Handlung) そのもの、おそらくはもっとも遠くまで先へ‐思考する (vor-denken)」ことである[60]。実際、先へと思考する思考としてそれが思考しつつむかう先は、もっとも問うに値するもの、しかしまた〈省察〉自身にもっとも抵抗するもの、つまり存在——存在の真理であり、真理の存在なのである[61]。このような思考は、捉えられた思考のうえに折り返される反省とは異なり、ハイデガーの示唆するように、遂行的《パフォーマティヴ》性格をもつ。存在の思考としての自分自身にかんする思考の〈省察〉において、思考は自分自身の始まりを遂行するのである[62]。

ここで私たちは「科学と省察」でのハイデガーのもうひとつの発言をいま一度思い出すべきである。それは、諸科学を統べている〈目立たない事態〉の精査が目指すのは、諸科学が発生してきた領野についての合図を得ることだ、ということである。ハイデガーによると、「この〈目立たない事態〉を指し示すことで、私たちは[…]〈問いかけるに値するもの〉の前へと通じるひとつの道行きへと差し向けられている [in eine Wegrichtung gewiesen]」[63]。私たちが目立たないものを指し示す (hinweisen) ことで差し向けられている、あるいは指図されている (gewiesen) のは、思考のもうひとつ別の方向、〈問うに値するもの〉へとむかう方向である。〈問うに値するもの〉は「澄明なはずみ [klaren Anlass：明確なきっかけ]」と解き放たれた停止 [freien Anhalt：自由な手がかり]」とをそれ自身のほうから授けることで、それらを通して私たちは、私たちの本質にみずからを言伝るものへと呼びかけ、それを私たちにむけて呼び寄せることができるようになる」〔64〕。ハイデガーは必ずしも明示的に述べてはいないものの、こうした〈問うに値するもの〉とは突き詰めれば存在の問いである。当該の〈目立たない事態〉を指し示すことで、ひとは、思考のもうひとつ別の方向が自身に突きつけられていることがわかる。結局のところ、この別の方向とは〈省察〉の方向のことである。ディルク・ヴェスターカンプが指摘するように「ジンネン〔sinnen〕」は「熟考〔Nachsinnen〕および省察〔Besinnung〕をめぐるハイデガーの考え方においてはたんに「意味＝感覚〔sense〕」を含意するだけでなく、旅〔journey〕や道〔way〕に相当する［ゴート語の］語根 sinþa にまでさかのぼる連関をもつ」〔65〕のだが、これと同様に〈省察〉もまたなんらかの道に立ち入ることなのである。かくして〈問うに値するもの〉へむかう道をとることは、実のところひとつの「帰郷」であるような一種の旅の途上にあるということなのだ〔66〕と、ハイデガーは断言している。これまで見てきたように、近代科学の本質を解明しようとする試みにおいて、〈問うに値するもの〉とは、私たち自身の本質へとむかう道を私たちに示すもののことであり、そもそも私たちの本質を基にしてこうした解明の試みがまず最初に生じたのである。実際、諸科学のただなかで統べている〈目立たない事態〉の精査が〈問うに値するもの〉への道を指し示しているのだが、まさにこの〈問うに値するもの〉が、私たち自身の本質に立ち戻る道へと私たちを連れていく。そして私たちの本質が依存しているものこそ、この本質に語りかけまたそれみずからが応答している当のもの、すなわち存在である。

だが、〈問うに値するもの〉への道に差し向けられるのは諸科学において統べているなにか他なるものを指し示すことによってであるとすると、「科学と省察」は、はじめからすでにひとつの〈省察〉に巻き込まれていたのではないだろうか。あらゆる現実を形づくる科学の活動がしるしづけられるような類いの本質にかんして、そうした本質（Wesen）を熟考する（nachsinnen）ことが最初から本論考の行程であったのだとすれば、この論考はもう出だしから〈問うに値するもの〉へとむかう経路に乗っていたことになる。しかし、議論が大詰めを迎えるこの地点において、つまりまさに科学を経めぐる旅の終わりにさしかかってこそ、ハイデガーはようやく〈省察〉という概念そのものを導入し、それを反省から明確に区別する仕方で定義づけるのである。〈省察〉は反省とは異なり、なにものかが自身への省みを通して後から意識されるようになったり、そうした省みを通じてなにものかがみずからを知るようになったりする、その種のたんなる自発的な活動ではない。〈省察〉とはなによりもまず、旅をする道という観点から理解されねばならない。旅をする道というのは、この論考の文脈のなかで言えば、諸科学のうちで威力をふるっているなにか他なるものを指し示しているあいだに差し向けられてしまっている、そうした道のことである。ハイデガーは古高ドイツ語の「ジンナン〔sinnan〕」、ジンネン〔sinnen〕」の意味に訴えることで、〈省察〉を「事柄がみずからすでにとってしまっている道行きを追いかける［こと］」として考える[67]。したがって〈省察〉の本質とは、事柄がみずからすでにとってしまっている道へと冒険に出ることであり、しかもこの方向は〈問うに値するもの〉へとむかう方向であり、事柄が途上にある当の道に〈問うに値するもの〉がかかわるという点でそうなのである。さらに、反省のような自発性の主権的活動とは異なり、〈省察〉は、ゲラッセンハイト〈Gelassenheit〉、「平静さ、すなわち〈問うに値するもの〉に落ち着いて身を委ねること」、私たちの場合で言うと、近代科学の本質、近代科学の存在の方途、近代科学が統べている特定の本質、そうしたものを構成している事態に身を委ねることである［68］。〈省察〉は、ハイデガーが明示的に述べるように、たとえば諸科学の意味やそれがとってきた道へと巻き込まれる（sich auf den Sinn einlassen ないし sich auf den Weg einlassen）ことによって、なにものかに対して能動的に呼応ないし相互照応するひとつの方途である［69］。しかし、それはたんに諸科学のうちで生じることへと受動的に身を委ねることになってしまうのだろうか。それともそれは、諸科学の本質を存続させることを意図して自身が注視するものを能動的に見張るという、テオーリアと比べうるような注視なのだろうか。あるいは、理論的な諸科学に浸透している〈目立たない事態〉についての探求によって導かれる〈問うに値するもの〉が、理論的な諸科学を特徴づけるものにかかわる仕方を変容させるよう誘っているということはありえないだろうか。しかし諸科学にかんして〈省察〉がいわばテオーリアの先行形態だと言いうるとしても、それは、諸科学とはまったく別物でありながら諸科学がなおそこに根ざしているような〈古代の〉テオーリアとはおよそ異なった種類のものであるにちがいない。

ハイデガーはこう書いている。「このように［〈問うに値するもの〉への方向づけとして］理解された省察［Besinnung］を通じて私たちは、自分たちが経験することも見透すこともないまま、長きにわたって滞在していたところに実際に到着するのである。省察において私たちはある場［Ort］へと接近できるようになるのだが、この場からしてはじめて、私たちのそのつどの営為と無為［Tun〔行なうこと〕und Lassen〔委ねること〕］すべてによって横切られる空間［Raum］がおのずから開けるのである」[70]。なにものかがすでにとってしまっている道のほうへとそのうちで統べているものを指し示しつつ旅すること――すなわち〈問うに値するもの〉のほうへと旅すること――がひとつの「帰郷」となるのだとすれば、それはなによりもまず、思い切って言うなら、時代を画す場（存在の歴史に相関的な場）へとむかう道自体が、私たちのすべての具体的な能動的営為および受動的無為にとっての空間を開くからという意味においてである。ここで帰郷にはいかなるノスタルジックな含意もない。私たちが〈省察〉を通じて〈問うに値するもの〉としての私たちの滞在地へと連れ戻されるとすれば、それはなによりもまず、私たちの歴史的な営為と不作為の或る具体的な場へと連れ戻されるのである。滞在とは、ハイデガーによれば、「たえず［stets］歴史的な滞在――すなわち、私たち割り当てられた滞在である」[71]。〈省察〉によって私たちが連れ戻されるという歴史的な故郷とは、無‐故郷である。すなわち、そこで世界の崩壊が生じ、その徴候として理論的な諸科学が惑星的規模で拡大している、そのような無‐故郷なのである。世界なるものがその基礎から揺さぶられてきた（もちろん廃棄されたわけではないが）ひとつの世界の時間と空間のなかで、私たちは故郷にいて長きにわたり滞在してきた。この〈省察〉を通じて私たちは、私たちが本来（eigens）いるところ、また主体的かつ意識的に自覚することなしに長いあいだ（〈存在〉の歴史という観点からみて）存在しつづけてきたところに、明示的にたどり着くのである。しかしそのような帰郷は物語の終わりではありえない。というのも、〈省察〉によって私たちは、みずからが歴史的に故郷としている空間――すなわち、世界そのものの崩壊が生じた世界の空間――が〈存在〉の歴史との関係でどのようなものなのかを自覚するのだとすれば、〈省察〉によって私たちはまた、〈存在〉そのものへの旅へと連れ出されることにもなるからである。私たちはそのような〈存在〉のうちに、当の存在者として、けっしてそうとは知らぬまま、故郷に存在している。

ハイデガーは「省察［Besinnung］の本質が、意識させることとも、科学に属している知とも異なる本質をもっており、それは、〈教養（Bildung）〉とも異なる本質である」[72]と断言する。ハイデガーが指摘しているように、〈教養〉は、それにしたがって当人の素質が形成されるべきであるような人間の確固たる模範像を前提としている。〈教養〉はまた「問い質されることなくどこを向いても確固たる人間の状態や態勢」をも前提しており、そうした前提そのものは「不変の理性およびその諸原理の抗しえない力への信念を根拠としているにちがいない」[73]。ハイデガーが主張するように〈教養〉の時代［Zeitalter］がその終わりへいたりつつあるのだとすると、それは無教養のせいなどではない。諸科学によるこの惑星的支配において統べているものに面して、〈教養〉の古典的なモデルはたんに無力である。さらに言えば、この〈教養〉の時代が終わりへいたるのだとするならば、「それは、〈問うに値するもの〉があらゆる事物と運命に本質的なものへの扉をいつかふたたび［erst wieder］開くようなひとつの世界時代［Weltalter］のしるしが現われつつあるからである」[74]。この〈世界時代〉ないし画期《エポック》のしるしが存していいる当のものが明示的になることはないが、ただ〈問うに値するもの〉

をめぐって出現しつつある〈省察〉それ自体がすでにそうしたしるしであると推察することはできる。実際、〈問うに値するもの〉がなによりもまずあらゆる事物と運命に本質的なものへの扉をふたたび開くことの条件なのだとするならば、〈省察〉は（存在するものに関係することの）ある終局的で新たな画期をなす時代を告げ知らせていることになる。この新たな時代は〈世界時代〉とは異なり、惑星規模の「世界」崩壊が生じているそのときに、当の世界へと、あるいはむしろ「世界」そのものへとかかわっていくような時代である。ハイデガーはこう書いている。「私たちがこの世界時代の広袤［Weite］と抑制［Verhalten：拘束］」の呼びかけ［Anspruch］に応答する［entsprechen：呼応する］ことになるのは、次のような事態がすでにとってしまっている道へとみずからを投げ出す［einlassen］ことによって私たちが省察［besinnen］しはじめるときのことである。すなわち、この事態［Sachverhalt］こそ科学の本質において――ただしそこでだけではないが――みずからを私たちに示すという事態なのである」[75]。問題となっている事態がみずからを示す唯一の場が諸科学だというわけではないにしても、それにもかかわらず、諸科学はその理論的本性のゆえに特権的な場でありつづけてきた。かかる事態が理論的な諸科学のうちですでにとってきた道を省察しそこに巻き込まれることによって、私たちが長いあいだ滞在している場を超えてふたたび私たちに呼びかけるもの、私たちを呼び求めるものへの応答と呼応の可能性が生じる。より正確に言うと、理論的な諸科学の真相についての省察を通して、新たな種類のテオーリア、言いかえると、注視の新たな方途がみずからを告げ知らせているように思われるのであり、それが見張るのは、現前するものが現前することよりもむしろ来たるべきもの、つまり新たな世界時代である。そしてこの注視は、それ自身を示している時代の種々のしるしに応答することで呼応するのだが、これらのしるしは、みずからにとどまりつつ、あらゆる抑制［Verhaltenheit］のうちにかろうじておのれを告げ知らせるものを保持するにすぎない。理論的な諸科学のうちで〈目立たない事態〉が威力をふるう仕方にみずから巻き込まれるがままになることで、〈省察〉は、すでにしかるべく整ったような時代ではなく、この新たな世界時代の到来のしるしが生き延び持続的に輝き出すことができるように注視しながら、そのようにしてみずからを告げ知らせるものに呼応しはじめるのである。これが、近代世界で哲学的思考をも意味するテオーリアのとる形態である。それはたしかにテオーリアのひとつのごく慎ましいかたちである。というのも、諸科学とそれらがもたらした世界の崩壊に直面してテオーリアが生き返るのは、ただ呼応〔相互照応〕という様式においてのみ、いまだ現前していないもの、ただもろもろの到来のしるしを示すだけのものに対して呼応するという様式においてのみである。それらのしるしとは、私たちが長いあいだ滞在してきた動揺する世界を超えた世界のしるしであり、つまるところまずもって「世界」というもののしるしのことである。だが、いかに慎ましくとも、テオーリアは生の補佐役として〔ひとつの〕「世界」に仕える。つまり、そこではたしかに生きるに値するだろうが、いまのところみずからを告げ知らせているにすぎず、それが本当に来たるべき〔ひとつの〕世界なのかは未定のままであるような、そうした世界に仕えるのである［76］。

〈省察〉を古典的な〈教養〉と対比するなかで、ハイデガーは続けてこう述べている。〈省察〉は

「時代との関係において、かつて大切にされた教養よりも暫定的で、より忍耐強く、より貧しいままにとどまる。しかしそれでも、省察の貧しさは、ある豊かさの約束であり、この宝はけっして計算に含めることのできない無用なものの煌きをもって光り輝くのである」〔77〕。現代にかんして〈省察〉がもっている性格、つまり暫定的で（vorläufiger）、より忍耐強く（langmütiger）、より貧しいという性格をめぐってハイデガーがここで進めている議論がことさら差し迫ったものとなるのは、〈省察〉が古代のテオーリアの意味と比較されているときである。古代のテオーリアは、自身をかろうじて告げ知らせるものというより、現前のうちへと十全に現前してくるものに呼応することでこれを見守り保護することであった。私たちがすでに見たように、〈省察〉ないし現代のテオーリアは目立たないものから生じてくる。そしていましがた見てきたように、それはまた、語のあらゆる意味での暫定的なもの〔provisional：前方への見通し、予見、先見の明〕にも結びついている。つまり、それは思考を前に進めていくなかで、ただ一時的であるだけでなく、同時にもっとも遠い先にあるものにもとりわけ結びついているのである。だがその貧しさにもかかわらず、みずからが追いかけるものに巻き込まれながら、そして眼に見えるようになってきている来たるべき世界時代のしるしのもとでみずからを告げ知らせるものへと能動的に参与しながら、〈省察〉は約束する。そうした約束は、約束されたもの——それがこれから始まるべき「世界」だという点でより豊かな世界——の現実化をすでに遂行しつつある。〈省察〉は、到来しつつある世界のいくつものしるしへの呼応〈相互照応〉に従事するなかで、これらのしるしとそれらを通してみずからが約束するものとを見守ることによって、約束された豊かなものを実現しようとする働きへとすでにしてみずから関与しているのである。

私たちがこれまで見てきたように、理論的な諸科学自身はみずからの本質へと突き進むことがけっしてできない。したがって、たとえ「諸科学の研究者や教育者の各々が［…］思索する者として省察［Besinnung］の多様な水準へと移動し、目を見張って省察を保つ［wachhalten］ことができる」としても、つまり活き活きと省察することができるとしても、〈省察〉そのものはつねに、みずからを告げ知らせるものによって要求される呼応を準備するひとつの方途にすぎないのであり、それは「つねに変化する道である。途上のどこから歩みを始めるかという場所それぞれに応じて、それが踏破する道のりそれぞれに応じて、〈問うに値するもの〉への途上で開ける遠望それぞれに応じて、たえず変化する道なのである」[78]。ハイデガーはこう書いている。「いつか特別の恩恵によって最高段階の省察が達成されたとしても、そこにあってさえ、省察は、私たち今日の人類が必要としている呼びかけ［Zuspruch］への心構えをただ準備するだけでよしとしなければならないだろう」[79]。哲学的思考としての、あるいはむしろ今日そうした思考がとるかたちとしての最高の〈省察〉にあってさえ、それがなしうるのはもっぱら準備することだけであり、みずからを試練にかけるよう心構えさせることだけなのである。それは〈問うに値するもの〉による試練であり、それが来たるべき別の世界へと私たちを向かわせる道という試練である。〈省察〉はその最高段階においてもなお、〈問うに値するもの〉への「応答と呼応への心構え」の準備にすぎない[80]。

早初のテオーリアの影が「理論」のただなかに射し込むその仕方を省察するなかで明らかとなって

くるのは、本質において古代の世界とは徹底して疎遠な諸科学にあってさえ、呼応と相互照応への要求が依然として生きているということである。ここから次のような問いが生じる。ハイデガーは、テオーリアとエピステーメーの早初の考え方になおも隠されている特徴の根本的な展開が、近代科学によってもたらされた世界の崩壊へといたったと主張しているが、この主張に加えて、呼応への要求がもつ同じく思考されていない位相もまた、世界の無世界化という近代の現象に対して責任を負っていることが示されうるのではないか、という問いである。言うまでもなく、この問いに満足のいく答えをするには、呼応＝相互照応という観念そのものについての長く粘り強い分析が必要となるだろう。それゆえここでは、そのような分析をする代わりに、〈省察〉によって達成される異なった種類の呼応と相互照応とに光を当てるにとどめよう。しるしを通してみずからをただ告げ知らせるしかないもの――「そこにあって〈問うに値するもの〉があらゆる事象と運命に本質的なものへの扉をいつかふたたび開くことになるような」新たな「世界時代」――に対して応答し照応することによって、しかもたんに暫定的で、忍耐強く、貧しいという仕方でのみそうすることによって、当の照応は、現前するものと見守りをする注視とのあいだで生じるというより、そのものとしては未規定のままであるような、いまだなきもの、なおも来たるべきものにかんして生ずる照応である。〈来たるべき～〉のしるしにそのように照応する方途を、ハイデガーはその徹底した未規定性にもかかわらず、〈問うに値するもの〉と彼が規定する地平のなかで、つまり存在の地平のなかで思考するのである。この方途は、「世界」なるもの――近代の無世界からのみならず古代の世界からも区別された世界――の時代となることが約束されているひとつの世界時代に応答し呼応するのにふさわしい道である。そうした〈省察〉は「時々刻々と私たちが経験している世界的震撼の深み〔Tiefgang〕」にただ応答し呼応するだけでなく、「問いながら、熟慮しながら、そして〔…〕そうした仕方ですでに〔…〕能動的に巻き込まれている」。だとするならば、結局のところ、ここからまた〈省察〉は、ギリシア人が生の最高形態とみなしたテオーリアとは別種の思考の行為形態なのだということも帰結するのではないだろうか[81]。みずからをただ告げ知らせるしかないものにかろうじて応答しつつ、つねに暫定的でしかない呼応としての〈省察〉は、たしかに能動的に思考する方途である。しかしそれは、みずからを告げ知らせるもののしるしにこうして関係しながら、そうしたしるしの約束するものが最後には到来するというい かなる種類の確証もなしに能動的に準備するという方途に「すぎない」のである。

私たちがこれまで見てきたように、〈省察〉は、その最高段階においてさえ、「応答と呼応への心構え」への準備でしかなく、こうした「応答と呼応は、〈問うに値するもの〉の汲み尽くしえなさゆえに絶え間ない問いの明るみのうちで我を忘れるのであり、かかる汲み尽くしえなさゆえに応答と照応は、おのれにふさわしい瞬間に問いかけという性格を失って、簡素に言うこととなる」[82]。私はただ次の指摘をして締めくくることにしたい。〈簡素に言うこと（einfaches Sagen）〉とはロゴス〔logos〕に当たるもうひとつの言葉であり、それは、ハイデガーの言うように、ロゴス〔論理＝言語〕／ミュトス〔神話＝物語〕という分割に先立つものとして理解されたロゴスである。〈簡素に言うこと〉が生じるのは、ギリシア悲劇の詩作や早初の哲学者たちの思索においてであり、ハイデガーによれば、彼らはその思索に満ちた詩作と創作的な思索とによってギリシアの現存在に根源的な世界を切り開いた。〈省察〉は、〈問うに値するもの〉を問うこととして、ただ、そのような〈言うこと〉を可能ならしめる可能性の準備にのみむかう途上にある。この可能性が実現しうるのはもっぱら新たな世界時代、すなわち、そのしるしを〈省察〉が形成途上の新たな種類のテオーリアとして見張っている新たな世界時代が、なおも存在するようになるはずのものを見張るという注視のうちで、実際に注視されうるような、そうした場合にのみであろう。

原註

［1］Martin Heidegger, "Science and Reflecton," in *The Question Concerning Technology and Other Essays*, trans. W. Lowitt (New York: Harper & Row, 1977), p. 157. 以後、このテクストの参照頁はすべてこの版に基づく〔ここに掲げられた英語訳の頁数に添えて、以下のドイツ語原文／日本語訳の頁数も、亀甲括弧で囲って〔S. アラビア数字／漢数字頁〕の要領で掲げる（アラビア数字が独語原文の頁数、漢数字が日本語訳の頁数を示す）。Martin Heidegger, "Wissenschaft und Besinnung," in *Vorträge und Aufsätze*, *Gesamtausgabe*, Bd. 9 (Frankfurt/Main: Klostermann, 2000), S. 41／マルティン・ハイデッガー「科学と省察」『技術への問い』関口浩訳、平凡社ライブラリー、二〇一三年、七二―七三頁〕

［2］Ibid., p. 158.〔S. 42／七三頁〕

［3］Ibid., p. 163.〔S. 46／八一頁〕

［4］Ibid.〔Ibid.／同頁〕

[5] Ibid.〔Ibid.／同書、八一―八二頁〕

[6] Ibid.〔Ibid.／同頁〕

[7] Ibid.〔Ibid.／同頁〕

[8] プラトンの『パイドロス』への注釈のなかでハイデガーはこう書いている。「テア〔thea〕」、「観ること」はまた最高の覚知であり、存在の把握である。見ることは、「存在」のもっとも高くて遠い隔たりにも、同時にまた映現〔Anschein〕のもっとも身近で鮮やかな近さにも達する。映現がそれとしてより輝かしくより鮮やかに覚知されればされるほど、そのうちで映っているもの、すなわち存在もまたますます鮮やかに立ち現われるのである」(Martin Heidegger, *Nietzsche. Volume I: The Will to Power as Art. Volume II: The Eternal Recurrence of the Same*, trans. D. F. Krell [San Francisco: Harper Collins, 1991], p. 196〔Martin Heidegger, *Nietzsche I* [Pfullingen: Neske, 1961], S. 228／マルティン・ハイデッガー『ニーチェ I』細谷貞雄監訳、平凡社ライブラリー、一九九七年、二七一頁〕)。

[9] Heidegger, *The Question Concerning Technology*, p. 163.〔S. 46／八三―八四頁〕

[10] Ibid., p. 164.〔S. 46／八三―八四頁〕

[11] Ibid.〔Ibid.／同頁〕

[12] Ibid.〔Ibid.／同頁〕

[13] Ibid.〔Ibid.／同頁〕

[14] 以下の拙論を参照。Rodolphe Gasché, "Theatrum Theoreticum," in *The Honor of Thinking: Critique, Theory, Philosophy* (Stanford, CA: Stanford University Press, 2007), p. 200.

[15] Heidegger, *The Question Concerning Technology*, Ibid.〔Ibid／同頁〕

[16] 同じくここで考えずにいられないのは、プラトンあるいはソクラテスが例示や議論の組立てにさいして途方もない語源論を援用しているという点であり、それらは近代科学に即して訓練された読者の目にはまった

く常軌を逸しているようにみえる。たとえば以下を参照。G. R. F. Ferrari, *Listening to the Cicadas. A Study of Plato's "Phaedrus"* (Cambridge: Cambridge University Press, 1990), pp. 114–17 とくに p. 155.

[17] Heidegger, *The Question concerning Technology*, p. 164〔S. 47／八四頁〕。Liddell and Scott's *Greek-English Dictionary* によれば、この語は「気遣い、関心〔care, concern〕」を意味する。

[18] Heidegger, *The Question Concerning Technology*, pp. 164–65.〔S. 47／同頁〕

[19] Ibid., p.165.〔S. 47／八四頁〕

[20] Ibid.〔Ibid.／同頁〕

[21] Ibid.〔Ibid.／同書、八五頁〕

[22] Ibid.〔Ibid.／同頁〕

[23] Ibid.〔Ibid.／同頁〕

[24] Ibid., pp. 166, 157.〔Ibid., S. 48, 40／同書、八六頁、七一頁〕

[25] Ibid., p. 166.〔Ibid. S. 48／同書、八六頁〕

[26] Ibid.〔Ibid.／同頁〕

[27] Ibid.〔Ibid.／同頁〕

[28] Ibid., p. 166.〔Ibid., S. 48–49／同書、八七頁〕

[29] Ibid.〔Ibid., S. 48／同頁〕

[30] Ibid.〔Ibid.／同頁〕

[31] Ibid., pp.166–67.〔Ibid. S. 49／同書、八八頁〕

[32] テクノロジー〔記述〕は理論的な諸科学を実践した結果ではない、なぜなら諸科学は最初から技術的であったのだから、ということをハイデガーは折に触れてくり返し強調している。

[33] Heidegger, *The Question Concerning Technology*, p.167.〔S. 49／八八頁〕

〔34〕Ibid.〔Ibid.／同頁〕

〔35〕これまで見てきたように、テオーレインをコンテムプラーリーへ翻訳することで、ローマ人たちはすでにギリシアの思考のうちで密かに現前していた特徴、つまり切り離して専門分野に区画しながら見るということをとり出した。現実的なものの理論としての近代科学とは、ハイデガーが示唆するように、まさしく現前するものをこのように対象性のうちへ置いて立たせることであり、しかも「ねらいを付ける表象［nachstellende Vorstellen］」（Heidegger, *The Question Concerning Technology*, p. 168〔S. 50／八九頁〕）と彼が呼ぶもののうちで同じく確保されている他の対象性の領域から区別しつつ立たせるということである。こうした知の専門分化は偶然ではなく、対象性のうえに据えられた現実的なものという概念の直接的な帰結である。時間と分量の理由からここで取り上げることはできないが、ハイデガーが詳論するこの諸科学の不可避的な専門分化に伴っているものとは、対象性の領域性格、研究の特殊化、諸科学の分野化、方法論の優位、などである。

〔36〕Ibid., p. 171.〔S. 55／九七頁〕

〔37〕Ibid.〔Ibid.／同頁〕

〔38〕Ibid.〔Ibid.／九八頁〕

〔39〕Ibid., p. 174.〔S. 56／同頁〕

〔40〕Ibid.〔Ibid.／同頁〕

〔41〕Ibid.〔Ibid.／同頁〕

〔42〕Ibid., p. 175.〔S. 57–58／一〇〇—一〇一頁〕

〔43〕Ibid., p. 176.〔S. 59／一〇二頁〕

〔44〕Ibid., p. 156.〔S. 40／七〇頁〕

〔45〕Ibid., p. 176.〔S. 59／一〇二頁〕

〔46〕Ibid.〔Ibid.／一〇三頁〕

〔47〕 Ibid., p. 177.〔S. 60／一〇四頁〕

〔48〕 Ibid.〔Ibid.／同頁〕

〔49〕 Ibid.〔Ibid.／同頁〕

〔50〕 Ibid., p. 179.〔S. 61／一〇六頁〕

〔51〕 Ibid.〔S. 62.／一〇六—一〇七頁〕

〔52〕 Ibid.〔Ibid.／一〇七頁〕

〔53〕 Ibid.〔Ibid.／同頁〕

〔54〕 Ibid.〔Ibid.／一〇八頁〕

〔55〕 準備としての「省察〔Besinnung〕」という概念については以下も参照。Ute Guzzoni, *Der andere Heidegger. Überlegungen zu seinem späteren Denken* (Freiburg: Karl Alber, 2009), S. 69–87.

〔56〕 Martin Heidegger, *Besinnung, Gesamtausgabe*, Bd. 66 (Frankfurt/Main: Klostermann, 1997), S. 49–50.

〔57〕 *Besinnung*, S. 48.

〔58〕 Ibid.

〔59〕 Ibid., S. 47.

〔60〕 Ibid., S. 24.

〔61〕 〈省察〉をめぐる考察と同じ時期に属するテクスト「世界像の時代」において、ハイデガーは〈省察〉を最初から存在との関わりとして規定している。「省察［Besinnung］に属する問いはけっして無根拠で問いを欠いたものにはならない、なぜならそれは前もって存在へと問うからである。それにとって、存在はもっとも〈問うに値するもの〉にとどまる。存在において省察はもっとも極端な抵抗を見いだす。この抵抗は、みずからの存在の光のうちへ押し出された存在者を真摯に扱うよう省察を引き留めるのである」(Heidegger, *The Question Concerning Technology*, p. 137; Heidegger, "Die Zeit des Weltbildes," in *Holzwege, Gesamtausgabe*, Bd. 5

(Frankfurt/Main: Klostermann, 1977), S. 96.〔ハイデッガー「世界像の時代」『ハイデッガー全集5――杣径』茅野良男、ハンス・ブロッカルト訳、創文社、一九八八年、一一七頁〕)。

[62] Heidegger, *Besinnung*, S. 53.

[63] Heidegger, *The Question Concerning Technology*, p. 179.〔S. 63／一〇八頁〕

[64] Ibid., p. 180.〔S. 63／同頁〕

[65] Dirk Westerkamp, "Weg," in *Wörterbuch der philosophischen Metaphern*, ed. R. Konersmann (Darmstadt: Wissenschaftliche Buchgesellschaft, 2007), S. 541.

[66] Heidegger, *The Question Concerning Technology*, p. 180〔S. 63／一〇八頁〕

[67] Ibid.〔Ibid.／同頁〕

[68] Ibid.〔Ibid.／同頁〕

[69] Ibid., p. 182.〔S. 64／一一〇頁〕

[70] Ibid., p. 180.〔S. 63／一〇八―一〇九頁〕

[71] Ibid., p. 181.〔S. 64／一〇九頁〕

[72] Ibid., p. 180.〔S. 63–64／一〇九頁〕

[73] Ibid., p. 180.〔S. 64／同頁〕

[74] Ibid., p. 181.〔S. 64／一一〇頁〕

[75] Ibid.〔Ibid.／同頁〕

[76] 私が、問題になっている世界を「世界〔world〕」として、つまり定冠詞ないし指示詞なしで語る場合、それはその世界がどのようなものになるかを前もって規定しないようにするためである。そうでなければ、それは来たるべき（あるひとつの）世界ではなくなるだろう。それを〔定冠詞つきで〕「世界なるもの〔the world〕」として語ることは、すでに「世界」をある特定の世界にしてしまうことになる。

[77] Heidegger, *The Question Concerning Technology*, p. 181.〔S. 64／一一〇頁〕

[78] Ibid., pp. 181–82.〔S. 66／一一〇—一一一頁〕

[79] Ibid., p. 182.〔Ibid., S. 66／一一一頁〕

[80] Ibid.〔Ibid.／同頁〕

[81] Ibid., p. 157.〔S. 47／八二頁〕

[82] Ibid., p. 182.〔S. 65／一一一頁〕

訳者あとがき

本書は、二〇一四年一一月二一日から一一月二七日の日程で来日したアメリカ合衆国の哲学者ロドルフ・ガシェ氏の行なった三つの講演（第1章、第4章、第5章）と、脱構築にかんする氏の代表的な二つの論考（第2章、第3章）によって独自に編まれた日本語版論集である。本書を編むにさいしては、編者の宮﨑の提案をガシェ氏に検討していただき、氏の承諾ののち、本書の序文となる「はじめに」を書き下ろしていただいた。本書を構成する五つの論考とそれらに通底するねらいにかんしては、著者ガシェ氏による「はじめに」の章をご覧いただきたい。

ガシェ氏の仕事は、日本語の読者にまったく知られていないわけではない。後述するようにいくつかの既訳があるほか、すでに日本語版オリジナルの第一論集として、吉国浩哉氏の翻訳による『いまだない世界を求めて』（月曜社、二〇一二年）が刊行されている。その著作は日本語の読者のあいだでも多少なりとも認知されつつあると思われるが、まずはガシェ氏の紹介をしておきたい。

＊　＊　＊

ロドルフ・ガシェは、一九三八年ルクセンブルク生まれ。現在ニューヨーク州立大学バッファロー校比較文学科卓越教授。ベルリン自由大学にて博士号（指導教員はヤーコプ・タウベス）取得後、パリの高等師範学校でデリダのセミナーに出席しつつ研鑽を重ね、一九七五年より合衆国で教鞭をとっている。もともと独仏語圏で活躍していたガシェ（ただし彼の母語はフラマン語とルクセンブルグ語である）は、ドイツ語の著作（博士論文のバタイユ研究等）や、デリダ『エクリチュールと差異』のドイツ語訳、フランス語で書かれたさまざまな論文や討議の記録が残されているが、渡米後は英語で書いた論文を少しずつ発表し始め、一九八六年に出版された主著『鏡の裏箔——デリダと反省哲学』（*The Tain of the Mirror: Derrida and the Philosophy of Reflection*, Harvard University Press）で一躍名を高らしめることとなった（九五年には同書の仏語訳も出ている）。以来、デリダ研究の第一人者として英語圏内外での「脱構築」思想の受容と展開に決定的な影響を及ぼしつづけている。

しかしながら、ガシェの仕事はデリダ研究にとどまらない。ヨーロッパの近現代哲学についての深い造詣を活かし、多彩な論考を発表してきた。その著作は、ポール・ド・マン論（一九九八年）、関係性概念の研究（一九九九年）、カント美学研究（二〇〇三年）、哲学的概念としてのヨーロッパ研究（二〇〇八年）、ドゥルーズ＝ガタリ論（二〇一四年）、ホロコースト以後の物語論（二〇一八年）等々、近年にいたるまで、幅広いトピックにわたる高密度かつ高水準の刺激的な著作を精力的に発表しつづけている。その著作は、英独仏語のみならず、イタリア語、スペイン語、そして日本語等さまざまな言語に訳されており、二〇一九年五月現在二〇冊にのぼる。今回の論集で紹介するのは、依然として氷山の一角にすぎないことを強調しておきたい。
これまで日本語に訳されたガシェの論考は、主に雑誌や論集に収録されたものであり、単著では、先に触れた日本語第一論集『いまだない世界を求めて』にとどまっている。以下、第一論集に掲載されたものとの重複を含むが、参考のために既訳一覧を掲げておく。

「太陽中心的な交換」足立和浩訳、アルク誌『マルセル・モースの世界』みすず書房、一九七四年〔デリダのセミネール（六九—七〇年）における発表の一部〕
「思考の早産児」伊藤晃訳、清水徹・出口裕弘編『バタイユの世界』青土社、一九七八年〔同じく、デリダのセミネール（六九—七〇年）における発表の一部〕
「内なる縁取り」「差‐延のオペレーター」浜名優美・庄田常勝訳、C・レヴェック、C・V・マクドナルド編『他者の耳——デリダ「ニーチェの自伝」・自伝・翻訳』産業図書、一九八八年〔いずれもデリダのニーチェ論をめぐる討議での数ページのコメント〕
「単なる視覚について——ポール・ド・マンへの応答」吉岡洋訳、『批評空間』第一期・第三号、一九九一年〔ド・マン「カントにおける現象性と物質性」をめぐって〕
「憂鬱なヴィジョンと差異の問題」田代真訳、『現代思想』一九九二年一二月号臨時増刊号「特集ベンヤミン生誕一〇〇年」〔ヴァルター・ベンヤミンの言語論について〕
「『この人を見よ』あるいは書かれた身体」安田俊介訳、『現代思想』一九九八年一一月臨時増刊号

「総特集ニーチェの思想」〈ニーチェの自伝をめぐって〉

「自己責任、必当然性、普遍性」内山智子・嶋本慶太訳、『人間存在論』第一〇号、京都大学大学院人間・環境学研究科総合人間学部、二〇〇四年〈フッサールとヨーロッパの問いについて〉

「始原学とたわいなさ」飯野和夫訳、『別冊・環世界』一三号「特集ジャック・デリダ 1930–2004」藤原書店、二〇〇七年〈デリダのコンディヤック論『たわいなさの考古学』読解〉

「ヒュポテュポーシス——カントにおける感性的描出(hypotyposis)の概念についてのいくつかの考察」宮﨑裕助・福島健太訳、『知のトポス』第七号、新潟大学大学院現代社会文化研究科、二〇一三年〈カント『判断力批判』の修辞学批判とその修辞学評価について。ウェブ上にてPDFファイルが公開されている。URL=http://hdl.handle.net/10191/17723〉

「「措定(Setzung)」と「翻訳(Übersetzung)」」清水一浩訳、『思想』二〇一三年七月号「特集ポール・ド・マン——没後30年を迎えて」〈ポール・ド・マンの脱構築について、言語行為論のパフォーマティヴ概念とフィヒテ以後のドイツ哲学における措定概念を中心に解明したもの〉

「脱構築〈の〉力」清水一浩訳、『現代思想』二〇一五年二月臨時増刊号「総特集デリダ——10年目の遺産相続」〈本書第1章〉

ガシェの仕事のさらなる概要やその展開の詳細については、先述した『いまだない世界を求めて』をぜひ参看されたい。ハイデガー『芸術作品の起源』論や、レーヴィットの世俗化論やデリダの責任論についての研究など、英語圏で未発表のガシェの最新論考が収録されているほか、訳者独自による著者インタヴューや、充実した訳者あとがきが付されており、非常に有益な内容になっている。

また、月曜社では『読むことのワイルド・カード――ポール・ド・マンについて』（一九九八年）と『地理哲学――ジル・ドゥルーズ&フェリックス・ガタリ『哲学とは何か』について』（二〇一四年）が続刊予定であると聞く。

＊　＊　＊

以下、各章の書誌情報とその要点にかんして説明しておきたい。

1　脱構築の力

本章は、来日講演のオリジナル原稿 Rodolphe Gasché, "The Force of Deconstruction" の全訳である。本訳稿の底本となる原稿は、二〇一四年一一月二二～二四日に早稲田大学・小野記念講堂で行なわれた「ジャック・デリダ没後10年シンポジウム」（文部科学省私立大学戦略的研究基盤形成支援事業「近代日本の人文学と東アジア文化圏――東アジアにおける人文学の危機と再生」主催）の二日目、一一月二三日に講演され、そのさい本訳稿も会場で配布された。後日、原註2が新たに書き加えられたが、そのほかに書き換えなどはなされていない。

講演に先立って、同名の論考が仏語で発表されている（Rodolphe Gasché, "Force de deconstruction," *Rue Descartes*, Nr. 82 [2014/3], pp. 61–64）が、これは、掲載頁数からも察せられるように、本章の中心的着想のスケッチというべきものにとどまっている。デリダの「力と意味作用」を取り上げて、形而上学的な対立関係の体系を逃れる転位のエコノミーに、新たな力概念――脱構築の力――を見るという論旨は本章と同じだが、叙述はごく圧縮されていて、「力と意味作用」の読解も要約的であり、ライプニッツの検討も含まれていない。この仏語版にスケッチされた着想をいっそう詳細に展開するなかで、本論考が形をなしてきたものと思われる。

本章の読みどころは、なんといっても、脱構築がそうと名指される以前に、デリダ自身の脱構築の雛型というべきその思考の原像が発掘されている点にある。デリダ自身は『グラマトロジーについて』や『ポジシオン』といった著作でみずからの企てを説明しており、ロゴス中心主義の批判や、パロールによるエクリチュールの抑圧のような「現前の形而上学」に対する批判といったかたちで、脱構築の要点はすでに知られてきた。しかし本章が明らかにしているのは、デリダがそれよりも以前に、またそれよりもずっと徹底した仕方で――おそらくデリダ自身も十分に自覚していなかった仕方で――脱構築のポテンシャルをいかに開拓していたかということである。このとき鍵となるのが力の概念、それもたんに形式と対立させられた不定形でカオス的な何ものかではなく、それ自体が脱構築的に再錬成された力の概念なのである。本章はこれを、エクリチュールの力へと本質的に結びつけ、無限に警戒する思考の力へと展開している。まさしく本書の基調底音として響きわたるこの主題をもって、本章のタイトルを本書に冠することとした。

本章の原文は、若干の改稿を経て、Rodolphe Gasché, *Deconstruction, Its Force, Its Violence: together with "Have We Done with the Empire of Judgment?"* (State University of New York Press, 2016) の第一章として公刊された。なお、本訳稿は、『現代思想』二〇一五年二月臨時増刊号「総特集デリダ――10年目の遺産相続」(五九―七五頁) に掲載されたものに基づいている。

2　批評としての脱構築

本章は、以下の日本語訳である。Rodolphe Gasché, "Deconstruction as Criticism," *Glyph* 6 (Johns Hopkins University Press, 1979), pp. 177–215. 原文は、以下に再録されている。Rodolphe Gasché, *Inventions of Difference: On Jacques Derrida* (Harvard University Press, 1979), Chapter 1.

本章は、米国の脱構築批評の牙城となった批評誌『グリフ』第六号に掲載された一九七九年の論文である。当時デリダの脱構築は合衆国のアカデミズムにおいて流行の渦中にあり、フランスから輸入された人文学の理論(フレンチ・セオリー)のひとつとして、主要大学の比較文学科やフランス文学科で文芸批評の方法論や文学テクストの読解方法として受容されていた。しかしそこに生じていたのは、脱構築の哲学的核心を誤解し、脱構築を道具化して濫用する一方、それを性急に批判しさえもするという混乱した状況であった。

本章が試みているのは、こうした脱構築の流行現象に介入して、脱構築の要諦を必ずしもデリダに依拠することなく理論的に解明し、その批評的な射程を展開することである。それによれば、脱構築は、多くの論者が誤解しているような、自己意識やテクストの自己言及性ないし自己反省性の理論として説明されるものではなく、むしろそこから絶えず逸脱する契機を呈示しようと試みるものである。テクスト読解の批評的な可能性はそうした契機にこそ宿る。本章は、このことをジャン＝フランソワ・リオタール、さらにはリオタールが参照するモーリス・メルロ＝ポンティの思想に沿って論じたあと、デリダの脱構築の核心を整理・展開し、結論部では、脱構築とポール・ド・マンの文芸批評とのきわどい関係を論じている。本章は、彼自身が脱構築批評の一端を担うガシェの代表的論文であり、デリダと同時代にデリダ以後ないし「デリダなき」脱構築の可能性を切り開いた記念碑的論考だと言えよう。

なお、この論文の続編として、ド・マンの脱構築批評の問題をさらに展開して探究したガシェの一九八一年の論考がある（「「措定（Setzung）」と「翻訳（Übersetzung）」」）。日本語訳が存在するので（前掲書誌参照）ぜひ併せて参照されたい。

3　タイトルなしに

本章は、以下の日本語訳である。Rodolphe Gasché, "Without a Title," in *Views and Interviews: On*

'Deconstruction' in America (Aurora, CO: Davies Group, 2007), pp. 1-32. このテクストは同書において序文の役割を果たしており、あとに続くのは、北米におけるフランス現代思想の受容をめぐってなされたガシェの三つのインタビューである。本文中にある「この導入的な論考に続くもろもろのインタビュー」という言葉（一三〇頁）は、これらのことを指している。

本章が取り組んでいるのは、前章とは打って変わって、二〇〇四年のデリダの死後に「アメリカにおける脱構築」をめぐってデリダの記憶を、脱構築というタイトルのもとでいかに継承する（あるいは継承しない）のかという課題である。脱構築主義がかつて流行し、批判され、いまや衰退しさえもした現在にあって、脱構築を掲げることは何を意味しており、何をしようとすることなのか。これは、まずもって、脱構築をデリダの思想と等置したりそこに還元したりすることではない。脱構築について語ること、それは、そもそもなんらかの主義主張として扱わないこと、むしろ逆説的にも、脱構築に抹消線を引くこと、そうしたタイトルないし見出しのないままにとどめておくことである。デリダ自身の実践したそのようなほとんど不可能なまでに逆説的な批判的警戒こそが、しかしながら、ひとはそうとは知らぬまま、デリダの記憶を継承し、そして結局のところ、脱構築の遺産を相続することになるのである。

4　思考の風

本章は、来日講演のオリジナル原稿 Rodolphe Gasché, "The Wind of Thought" の全訳である。本訳稿の底本となる原稿は、二〇一四年一一月二五日に東京大学駒場キャンパス一八号館で行われた「ハンナ・アーレント・セミナー」(東京大学吉国浩哉氏主催)にて発表された。この原稿は、若干の改訂を経て以下に収録されている。Rodolphe Gasché, *Persuasion, Reflection, Judgment: Ancillae Vitae* (Indiana University Press, 2017), Chapter 8.

本章の主題は、ハンナ・アーレントの判断力論である。アーレントの未完の遺著『精神の生活』は、判断力を論じるはずの第三部が欠落したままであることが知られている。アーレントのいう判断力のモデルはカント哲学にあり、通例では遺稿集『カントの政治哲学講義』を参照することである程度その欠落は埋められるのだが、本章がこだわるのは、『精神の生活』のあと二つの主題である意志と思考のうち、思考が判断といかなる関係をとり結ぶのかという点である。

アーレントのいう思考は、デカルトのコギトがそうであったように、世界からの撤退を促し、判断に先立って世界から退いたところからあらゆる前提を破壊し取り去ってしまう働きをもつ。しかしながら、思考そのものは不可視の活動であり、それが実際に「現われの世界」のうちで顕現し働くのは、判断力を介してである。アーレントは、思考活動が顕現するさまを、クセノフォンが伝えるソクラテスの表現を用いて「思考の風」と述べていた。判断力が担うのは、まさしく思考の働きを「風」として体現することなのである。本章でガシェは、アーレントの判断力論におけるこの論点に着眼することで、判断力にこそ、所与の前提を解きほぐすことのできる思考の破壊的な批判力が宿るということを解明するにいたる。

ここで問題となっている判断力とは、いかなる前提もなしに個物から普遍を発見しなければならないというカントの反省的判断力に由来するものである。そこから出発して、アーレントはカントの狭義の判断力概念を超えて、判断を介した思考の活動のうちに、生の意味の探究を尖鋭化させる。「思考の風」とは、アーレントの弛みなき批判的探究が、惰性化したわれわれの世界に対していわば脱構築的に作用する形象の名である。ここにこそ、ガシェの追究する本書『脱構築の力』の主題、すなわち「思考の風」が吹き荒ぶなかで遂行される、批判的警戒としての思考の姿が浮上することになるのである。

本章は、アーレントの判断力論の隠された射程を開拓するものとして読むことができる。カント研究の文脈では、ともすれば美学ないし自然哲学の領域に押し込められてきた反省的判断力の概念をアーレントに即して再評価し、哲学的思考のパフォーマティヴな活動そのものへと展開したものとみなすことができるだろう。

5 〈なおも来たるべきもの〉を見張ること

本章は、来日講演のオリジナル原稿 Rodolphe Gasché, “Watching Over What Is Still To Come” の

全訳である。本訳稿の底本となる原稿は、二〇一四年一一月二六日に新潟大学駅南キャンパス「ときめいと」で行われたシンポジウム「ハイデガー、テオーリアと翻訳の使命」（新潟大学人文社会・教育科学系附置「間主観的感性論研究推進センター」主催）の基調講演として発表された。なお、この原稿は、来日講演後、以下の著書に収録された論文の短縮版である。Rodolphe Gasché, *Persuasion, Reflection, Judgment: Ancillae Vitae* (Indiana University Press, 2017), Chapter 6.

本章が企てているのは、一見したところささやかな試み、すなわち、ハイデガーの一九五三年の講演「科学と省察」を精読し、そこで提示されている「科学とは現実的なものの理論である」という命題をハイデガーとともに検討してみることである。ハイデガーがそこで行なうのは、いつもそうであるように、対象となる語——ここでは「理論（セオリー）」——の古代ギリシア語（テオーリア）の意味にまでさかのぼり、この意味がいかに現代語の意味にとり憑いているかを示すことである。

それによれば、理論の古代的な意味には、みずから示してくるものに呼応しそれをそのものとして見守るという実践が含意されている。この意味は、近代の理論的科学を依然として規定し続けているのだが、しかしそのことによって近代科学は、現実的なもの（自然や外界の対象）を区画化して囲い込むことで、われわれの世界を、もはやテオーリアの観照的な生とはほど遠い、無世界的な世界へと崩壊させてしまった。

ガシェがしばしば誤解されているハイデガーの復古的な身ぶりにかんして注意を促しているように、問題は、ギリシアの原初的な意味をたんに現代に復活させることなのではない。というのも、ハイデガーが自覚的にであろうとなかろうと示していたのは、古代ギリシアにさかのぼるテオーリアの働き自体が現代世界の無世界化という危機を招いた要因だということだからである。

しかしながら、ガシェが力説するのは、近代の理論科学がテオーリアを実現してきた仕方は、テオーリアの可能性のひとつにすぎないという点である。テオーリアの亡霊は、近代的な理論に尽くされないかたちで、理論の未来の運命が決定される地平を枠づけている。この亡霊は、いまだそれとして思考されないまま、危機の要因であると同時にひとつの好機をも指し示しているのである。

ここにこそ、ガシェは、ハイデガーの一見古代ギリシア中心主義的な思考の特異点をしるしづける。近代の理論科学は、みずからが自覚しない仕方でテオーリアを前提としているとしても、当のテオーリアは、たんに現代の無世界化を招来した仕方でのみ現代の理論を規定しているわけではない。それは、もうひとつの仕方、別の仕方でのテオーリアを予期しているのであり、それ自体はギリシアのテオーリアとは異なった未来を告知するものなのである。そこには、一見復古的なそうした身ぶりによってこそわれわれの未来を切り開こうとする、ハイデガーの逆説的だが不可欠であるような切迫した思考のあり方を読み取ることができるだろう。

標題となっている「省察」とは、そのような未来にむけて、もはや理論的思考には盲目とならざるをえないような問いかけを遂行する思考の名である。それは、ある意味ではアーレントのいう判断力に似て、あらゆる前提を吹き飛ばす思考の颪を体現しつつも、その最中にあってしかし、テオーリアの原義に即して、みずからを提示してくるものに呼応し見守ることであるとひとまず要約することができる。

困難なのは、このように到来しつつあるものは「何であるのか」の規定をどこまでも欠いたままだという点である。本章によれば、省察とは、研ぎ澄まされた思考の尖端において、そのような意味でいまだ来たらざるもの、ただ到来のしるしを告げ知らせるものの動向を注意深く見張り、それが合図している呼応の要求に対して準備することである。そこではたんに未来へと盲目的に身を任せることが奨励されているのではない。それが準備と言われるのは、到来するものが未規定である以上そのしるしが過去からしかやってこないからであり――ハイデガーはこのことを熟知していた――、過ぎ去った到来のしるしへと遡行する、そのような準備によってこそ、いわば絶対的な始まりを反復することができるからである。

したがって、ガシェがこのようにしてハイデガーの思考から読み取る「見張り」とは、来たるべきものに闇雲に身を任せるのでないからといって、ただ身構えているだけなのでもない。これは、過去からこそ合図してくる来たるべきもの、いまだ来たらざるものへの反復的な応答によって「別の始まり」を創設する、ひとつの遂行的な思考だということを示している。テオーリア自体が、そのような思考にとっての不可欠なしるしとして名指されているのである。

本書第II部をなすアーレント論とハイデガー論は、第I部のデリダ論ないし脱構築論から出てくるガシェの関心を展開したものと読むことができる。しかし本書の「はじめに」においてガシェ本人が断っているように、これら三者の思考が脱構築の名のもとに同一視しうるということではけっしてない。むしろこれらの布置においてますます明確になるのは三者の距たりであり、そのような仕方においてのみハイデガーの省察、アーレントの判断力、デリダの批判的警戒、それぞれの思考の特異性が浮かび上がってくるのであり、それらの記憶を継承しようとしているガシェ自身の思考もまた、際立つことになるのである。

＊　＊　＊

本書の翻訳にあたっては、各訳者が分担して第一稿を作成した。担当箇所については、第1章を清水一浩、第3章を入江哲朗、第4章を島田貴史、第5章を串田純一、そして「はじめに」と第2章を宮﨑が担当した。訳註は、原則として各章の担当者が執筆している。既発表の第1章については最小限の改稿にとどめたが、第3章から第5章まではいずれも監修にあたった宮﨑が訳文に手を入れており、文字通りの共訳となっている。訳語の統一、訳文全体の調整等も宮﨑が担当している。訳稿の最終的な責任は、宮﨑にあることを明記しておきたい。

本書の成立にあたっては、なにをおいてもまずはご本人の多大なる協力を得た点でロドルフ・ガシェ氏にお礼を申し上げなければならない。本書の計画は、二〇一四年の来日時の段階ですでに立てられており、翌年の春にはご本人から本書の序文を受け取っていたにもかかわらず、訳者（主に宮﨑）

の諸事情により、なかなか訳文を仕上げることができず、何年もお待たせすることになってしまった。大学院生時代にガシェ氏の名著『鏡の裏箔』を何度もすり切れるまで読み込み、自身のデリダ研究の基盤を培った宮﨑にとってはようやくいまになって恩返しができた思いである。もちろんみずからが受けた恩に釣り合うなにかを返却できたなどというのはこちらの勝手な言い草にすぎない。しかし真の贈与はそうやって勝手になされていくことにこそ本領があるのだ、とは、デリダ自身から学んだことのひとつである。ガシェ氏への言い尽くせぬ感謝の念とともに、身勝手な言い訳を記すことをお許しいただきたい。

今回ガシェ氏来日のさいの一連の講演会やセミナーにかんしては企画の準備段階から来日時のさまざまなサポートにいたるまで、東京大学の吉国浩哉氏にたいへんお世話になった。ここに感謝申し上げたい。

第3章の訳出にあたっては共訳者の入江が、英文の解釈にかんして東京大学のジョン・オデイ氏から貴重な助言をいただくことができた。感謝とともに書き添えておく。

そして最後に、再三の遅延にもかかわらず訳者を励まし、訳業の完成に導いてくださった、月曜社の小林浩氏への、心からの感謝の意を書き留めておきたい。

二〇一九年六月二日

訳者を代表して　宮﨑 裕助

著訳者略歴

ロドルフ・ガシェ（Rodolphe Gasché）
一九三八年ルクセンブルク生まれ。ニューヨーク州立大学バッファロー校比較文学科卓越教授。専門は哲学、比較文学、批評理論。英仏独語で書かれた多数の著作のうち、日本語に訳された著書に『いまだない世界を求めて』（吉国浩哉訳、月曜社、二〇一二年）、また論文に「ヒュポテュポーシス――カントにおける感性的描出（hypotyposis）の概念についてのいくつかの考察」（宮崎裕助・福島健太訳、『知のトポス』第七号、二〇一二年）、「「措定（Setzung）」と「翻訳（Übersetzung）」」（清水一浩訳、『思想』二〇一三年七月号）などがある。

宮崎裕助（みやざき・ゆうすけ）
一九七四年生まれ。新潟大学人文学部准教授。専門は哲学・現代思想。著書に『ジャック・デリダ――死後の生を与える』（岩波書店、二〇二〇年）、『判断と崇高――カント美学のポリティクス』（知泉書館、二〇〇九年）、訳書にポール・ド・マン『盲目と洞察――現代批評の修辞学における試論』（共訳、月曜社、二〇一二年）など。

入江哲朗（いりえ・てつろう）
一九八八年生まれ。東京大学大学院総合文化研究科超域文化科学専攻博士課程在籍。専門はアメリカ思想史、映画批評。著書に『火星の旅人――パーシヴァル・ローエルと世紀転換期アメリカ思想史』（青土社、近刊）、訳書にブルース・ククリック『アメリカ哲学史――一七二〇年から二〇〇〇年まで』（共訳、勁草書房、近刊）。

串田純一（くした・じゅんいち）
一九七八年生まれ。早稲田大学ほか非常勤講師。著書に『ハイデガーと生き物の問題』（法政大学出版局、二〇一七年）、訳書にサイモン・クリッチリー／ライナー・シュールマン『ハイデガー『存在と時間』を読む』（法政大学出版局、二〇一七年）など。

島田貴史（しまだ・たかふみ）
一九八六年生まれ。東京大学大学院総合文化研究科超域文化科学専攻博士課程在籍。専門はフランス現代思想。訳書にマーティン・ヘグルンド『ラディカル無神論――デリダと生の時間』（共訳、法政大学出版局、二〇一七年）、論文に"The Idea of History as Difference of Force: Derrida Reading Nietzsche and Heidegger"（*UTCP Booklet* 27, 2016）など。

清水一浩（しみず・かずひろ）
一九七七年生まれ。東京大学大学院総合文化研究科超域文化科学専攻博士課程単位取得退学。訳書にアレクサンダー・ガルシア・デュットマン『友愛と敵対』（共訳、月曜社、二〇〇二年）、ヤーコプ・タウベス『パウロの政治神学』（共訳、岩波書店、二〇一〇年）、マルクス・ガブリエル『なぜ世界は存在しないのか』（講談社選書メチエ、二〇一八年）など。

脱構築の力
来日講演と論文

著　者：ロドルフ・ガシェ
編訳者：宮﨑裕助
訳　者：入江哲朗／串田純一／島田貴史／清水一浩

2020年1月31日初版第1刷発行

発行者：小林浩
発行所：有限会社月曜社
〒182-0006 東京都調布市西つつじヶ丘4-47-3
電話 03-3935-0515　FAX 042-481-2561
http://getsuyosha.jp/

印刷・製本：株式会社シナノパブリッシングプレス
装丁・DTP：北岡誠吾

ISBN978-4-86503-094-5
Printed in Japan

叢書・エクリチュールの冒険　第15回配本